NAH THEN!

Nah Then!

A treasury of Yorkshire dialect quotations
compiled from dialect almanacs by

Ian Dewhirst

Dalesman

First published in 2010 by Dalesman
an imprint of
Country Publications Ltd
The Water Mill, Broughton Hall
Skipton, North Yorkshire BD23 3AG

ISBN 978-1-85568-273-3

Printed by Latitude Press Ltd.

CONTENTS

ABBREVIATIONS AND SOURCES

Beacon: *The Beacon Almanack*
Bramley: *The Bramley Almanac*
Chimney Nook: *The Chimney Nook: Original Almanac by Sol Darrel*
Clock: *The Original Illuminated Clock Almanack*
Leeds Loiners: *T' Leeds Loiners' Comic Olmenac*
Nidderdill: *The Nidderdill Olminac an' Ivvery Body's Kalinder*
Pogmoor: *T' Pogmoor Olmenack an Bairnsla Foaks Yearly Jottings*
Pudsey: *The Weyver's Awn Comic Olmenack an Pudsey Annual*
Saunterer: *Saunterer's Satchel and West Riding Almanac*
Stubbs: *Bob Stubbs Original Comic Yorksher Awmynack*
Toddles: *Tommy Toddles's Comic Almanac*
Weyver's Awn: *The Weyver's Awn Comic Olmenack an Pudsey Annual*
Yorkshireman: *The Yorkshireman Comic Annual and Almanack*

INTRODUCTION

The golden age of the Yorkshire dialect almanac ran roughly from the mid-nineteenth century to the first third of the twentieth. Developed from a standard format like the *Old Moore's Almanack* produced by C L Burdekin, printer, bookseller and stationer of York, with its calendar, historical articles, local and national information and – importantly – advertisements, the dialect almanac offered for several generations a homely miscellany of prose, verse and overall humour. Occasionally even the advertisements were in dialect:

> Et Number Fower i' Armley Road,
> T. Tolmie keeps a shop.
> He's a gert wood pipe hung ower t' door,
> Which causes lots ta stop!
>
> His shop is stock'd up stairs an' daan,
> Wi' Bacca, Pipes, an' Snuff;
> Cigars an' Cigarettes, he's lots,
> Fit fer ony Lord ta puff...

Though well-known John Hartley of Halifax was for many years indelibly linked with *The Original Illuminated Clock Almanack*, compilers for the most part used soubriquets like Tommy Toddles or Tom Treddlehoyle or Nattie Nydd. They could even switch almanacs, as J H Eccles explained when introducing his *Leeds Loiners' Comic Olmenac* in 1873:

"T' first boat at I sailed in wor called 'Tommy Toddles', an did a gud stroke ov bizness e t' comic line; next I tewk command on wor 'Frogland Comic Olmenac', an it sold well; aftur that I becom captin ov 'Tommy's Annual' an made a great success ..."

The almanac crammed every page with print, and brief words of wisdom proved useful for filling in blank spaces. What, in a standard almanac, could seem sententious – "It is impossible to make people understand their ignorance; for it requires knowledge to perceive it; and, therefore, he that can perceive it hath it not" – becomes pithy when couched in the vernacular.

In many cases it seems obvious that standard English sayings have been translated into dialect: "When a man duzn't walk e yore steps an keep t' same time az yorsen, happen he hears a different drummer" is a straight adaptation of Henry David Thoreau's "If a man does not keep pace with his companions, perhaps it is because he hears a different drummer." There is absolutely no consistency of spelling. Language ranges from virtually standard English through varying degrees of the colloquial, some of it frankly crude – even the word 'almanac' has at least half-a-dozen spellings. **Incidentally, the key to understanding what may appear obscure on the printed page is to read it out aloud!**

Yet, somehow, philosophy takes on a homely graphic quality when set against a background of houses with hearth-stuns and koil hoils, where door-stuns needed fettling and grates blackleading, where you might have fleas in your bed and you lit a fire when you got up; when you sanded the floor before washing it, and hoped your dicky was clean if your shirt wasn't. Children could have snotty noses, and there might be a black snail in your blackberries.

Dialect almanacs were invariably written and edited by men, so a jokey tongue-in-cheek view of women and marriage emerges. This forms part of a Victorian-Edwardian dialect world wherein, however, marriage was generally the norm, usu-ally followed by numerous offspring. Bachelors ('crusty owd') tended to be looked down on, and spinsters made fun of. It was better to be virtuous and poor than bad and rich. If you were honest and worked hard you could prosper, but you must never take on airs. Church and chapel on a Sunday was, like marriage, the place to be, but could similarly be treated with humour.

Above all, perhaps, attitudes to the basics of life and death could be realistic to the point of brutality: "Nivver bother yor heead abaat ha mich yo'll be able to leeav when yo dee, for yo'll just leeav as mich as onnybody else 'at dees at th' same time – All ther is."

This attempt at a broad sample of Yorkshire dialect wisdom could not have been compiled without the almanac collections at the public libraries of Bradford, Halifax, Keighley, Leeds and York, to which our thanks are due.

That these often need hunting for in distant stockrooms and on high shelves demanding ladders implies their lack of use, which is a pity, for almanacs are a fruitful source, not simply of dialect and humour, but of social history.

I must also thank Mark Whitley, books editor of Country Publications, for his invaluable help in bringing some order out of my tortured notebooks.

Ian Dewhirst

Publisher's note

We stress again, some of these sayings, reflecting as they do regional variations and pre-dating attempts to regularise the expression of dialect, should be the more easily understood when read aloud.

HOME AND FAMILY

the home – parents and children – ancestors –
education – servants – friendship – animals

THE HOME

Muddle at hooam maks t' huzband rooam. (*Pogmoor*, 1903)

A modest piece ov furniture – A clock, it cuvvers its face wi its
hands, an runs dahn its oan wurks. (*Pogmoor*, 1910)

A cheerful wife, a bonny bairn, a cleean foirside, an a kettle singin
o' th' hob, will do moor to keep a chap aght o' th' ale haase nor
a barrow-looad ov teetotal tracts. (*Clock*, 1896)

A chap at can be at hooam onnywhear is seldom at hooam.
(*Clock*, 1895)

Where theaze a mucky hause, theaze a idle womman. (*Pogmoor*,
1844)

Chairs an tables rub'd a little bit ivvery day, saves a good deal a
elbow grease on a Setterday. (*Pogmoor*, 1845)

Puttin sand upat hause floor, wethoght weshin it, iz nowt na
better then puttin muck upa muck. Think a this, yo ats ta idle ta
goa onta yer knees. (*Pogmoor*, 1845)

Allas cleanin, allas it muck. (*Pogmoor*, 1846)

Ta prevent a kitchen door throo creakin, iz ta get a sarvant lass, ats a sweetheart cums tut hause ta see hur. (*Pogmoor*, 1846)

If a man wants ta find aght when theaze two foaks in hiz hause, let him drop a bit a sooit intut saucepan at hiz wife iz boilin stairch in. (*Pogmoor*, 1850)

Try an keep e yer awn haase – yo'll be suar ta find plenty ta du, iv yo nobbut try it; it's far better ner gossopin, iz duin yer duty; mind that, nah. (*Toddles*, 1862)

Where thearze a dry floor-claaght, theaze not a menny sore knees. (*Pogmoor*, 1847)

Did yo ivver naw onny boddy go tut knife-box for a knife, but wot thay allus gat houd ov a fork t' furst. (*Pogmoor*, 1851)

T' saand ov a scrubbin-brush e sum foaks' hauses, ad be a deal more musical then't tinklin ov a peanno. (*Pogmoor*, 1853)

When theaze a wesh day, it's a sign at theal be a cowd dinner. (*Pogmoor*, 1853)

If yer lord o't creation sud be it habit o' gettin a soap a drink an stoppin at public-haas, a-stead a bein at home wi't wife an barns, don't go ta fly up at an blame him, wal yo've seen whether it isn't a bit yer awn faut i' nut hevvin things cumfuttable an cheerful at home when he comes home tired thro' his wark. (*Pudsey*, 1859)

Foaks tawk abaaht payin ther vissit; nah, it ad be a good job for sum foaks if they nobbat did pay ther vissit, for they cost summat before they leave, do sum on em. (*Pogmoor*, 1867)

At home: Timothy Feather (1825-1910), the Brontë Country's last handloom weaver.

"Things put e ther proper places can be faand et dark," that is if yo doon't tummell ower em afoar yo find aght wheer they arr. (*Leeds Loiners*, 1880)

Awd rayther live on th' brink ov a precipice i' fancied safety, nor ith' centre ov a fortress ith' midst ov alarms. (*Clock*, 1896)

"Nivver mind t' hahce floor," sed Sal Sluvin, "clean t' door step, for eaze more foaks goaze past then wot cums in." (*Pogmoor*, 1872)

It's a mistery, it iz, hah sum foaks can find time ta be drest up az they ar, throo morn ta neet, an ta be off ta ivvery soart ov a stur or nuvalty thear iz abaght, an ther hahce at same time ta be goin on az if it wor regularly attended to. (*Pogmoor*, 1868)

All men ar not hooamless, but sum ar hooam less than uthers. (*Pogmoor*, 1899)

Hooam words often ewsed – Shut t' dooar. (*Weyver's Awn*, 1896)

If yo want ta hev yer brain crackt, employ a duzzan men, an be t' awner ov abaaht az menny cottidge hahces, an collect t' rents yer sen. Yo may put yer hand ta yer head, but it al do it. (*Pogmoor*, 1866)

It's rang for a man when he cums hoame tiard on a coud rainy neet, an caant see a morsel a fire for t' winter-hedge bein stuck before it, an iz foarst ta find a seat where he can, an snapt at it bargain if he happans ta say owt. (*Pogmoor*, 1867)

Tak care at noan a yer nabors may hev to say at ye spend more time aght a yer awn house ner in. (*Pudsey*, 1859)

If onny boddy iz fetlin dahn, an t' hahce iz all up at floits, t' odds iz at eaze sure ta be sumady patickalar call at's wantin ta see em. (*Pogmoor*, 1873)

When a chap tells yo he nivver sees his wife mucky yo can put it dahn 'at her house isn't ower cleean. (*Clock*, 1927)

Doant wesh at t' same day yer nabors duz, if it iz at theaze nobbut room ta put up wun cloaze-line. (*Bramley*, 1886)

If yo live in a hahse 'at's infested wi' mice, th' best way to catch 'em is to get into th' cubbard an' mak' a noise like a piece o' cheese. (*Clock*, 1930)

Heaven on earth is awther to be fun at hooam or it'll be far to seek. (*Clock*, 1912)

Haivver wide awake a chap is during th'neet, he's allus saand asleep when it's time to get up an leet th'foir. (*Clock*, 1904)

Did yo ivver know onybody 'at had moor company i' bed ov a neet nor what wor pleasant, 'at didn't declare they coom throo th' next door? (*Clock*, 1878)

T' softer you goa t' moar t' steps squeaks. (*Yorkshireman*, 1887)

Hah ta mak a stew at al last yo mony a daay – Get t' white washers inta t' haase when yor hevin' a clean daan. (*Leeds Loiners*, 1882)

Sheet leetening – Getting robbed o' th' bed clooas afore yo wakken. (*Clock*, 1867)

A chap 'at buys his aght-o'-door popularity at th' expence of his hooam comforts will find i' time 'at he's paid a heavy price for a rotten stick. (*Clock*, 1880)

A neet hunter – A lop on a blankit. (*Leeds Loiners*, 1874)

Things at noaboddy likes ta be trubbled we et neet time – T' scarlet runners (T' blanket regiment). (*Leeds Loiners*, 1876)

A yard stick – T' cloas-prop. (*Yorkshireman*, 1886)

PARENTS AND CHILDREN

When ah see a barn wi a snotty nooase, ah wonder – "Wheer's thi mother, doy?" (*Stubbs*, 1914)

Ah allus think it's hard lines for a lad when his mother threshes him becoss he tak's after his fayther. Shoo mud as weel thresh him becoss he doesn't grow fast enough. (*Clock*, 1931)

Teach yer childer gooid morals, an yo wean't hev hawf az mich use fur't cane az yo will iv yo neglect em. (*Toddles*, 1862)

It's a suar sign, wen a lot ov childer ar coarse an impident, at ther parents ar'nt mich better, or else they wodn't a been soa. (*Toddles*, 1862)

Th' better side ov a dozen childer – Eleven. (*Clock*, 1867)

Did yo ivver see a step-muther at liked t' huzband's bairns better ner her awn? (*Toddles*, 1872)

If yo hear a bairn scream it neet-time, it's a sign it's wackan. (*Pogmoor*, 1844)

If childer could mak' this world ovver agean, jam-pots 'ud hev no bottoms. (NB Nor t' childer oather.) (*Yorkshireman*, 1887)

Hah ta manage stupid disobedient children: T' first give em ta understand at obedience iz one at chief ends ov ther existence; t' next, establish that fact by a few smart illustrations, not on t' head yo know, but a little lower daan; ther's nowt like gettin tut bottom ov an evil iv yo want ta cure it. It's a deal better ner lollypops an coaxing I can tell yo. (*Leeds Loiners*, 1882)

A all-neet ball: When ye've to sit up i' bed t' best pairt o' t' neet wi' a roarin' barn. (*Yorkshireman*, 1887)

Things at want licking inta shape: Youngsters at blubber an scream fer ivverything they see, an keep t' haase on a continual uproar .... An' mothers at hev noa moor sense ner let em du it. (*Leeds Loiners*, 1882)

Noa mother can see as monny beauties in her babby, as what her mother can see faults ith' father on it. (*Clock*, 1892)

When fowk see a oak tree they forget th'acorn it sprung from, yet few pick up a acorn withaat thinkin o' th' tree 'at dropt it, then ne'er heed what yo spring throo so long as th' fruit yo bear is gooid. (*Clock*, 1876)

An original thinker – A lad at duzzn't think hiz fayther's an owd fogy. (*Leeds Loiners*, 1878)

Young fowk grow weary when old fowk tell what has been, an it maks old fowk tired when young fowk tell what shall be. (*Clock*, 1889)

Th' furst child is a little angel; – th' second is a sweet, little thing; – th' third is a child; – th' fourth is another to keep; – th' fifth is a newsance; – th' sixth is aght o' all reason; – after that they're nobbut what yo might expect, an yo mun mak th' best on it. (*Clock*, 1904)

Give a lad a nail an he'll want a hammer, give him a hammer an he'll want some stickin plaister, nivver satisfied. (*Clock*, 1912)

If you love yor mother dooant sit an tawk abaat it wol shoo's huggin up coils. (*Clock*, 1912)

Sun-struck – A lad at's just been hit be hiz fayther. (*Leeds Loiners*, 1873)

A chap 'at has a family o' lasses owt to allus be careful what he says abaht his nabours' lads. Becoss some day, onny one o' theease lads may be his son-i'-law. (*Clock*, 1929)

If ye see a man who's wife hes twins abaat two months owd looking up at sky to see what sooart ov weather is going to blaw, nivver mind telling him that if he goas hoam he'll no daat find it squally. (*Pudsey*, 1871)

A wise father will allus try to train up his childer ith'way at he owt to ha gooan hissen. (*Clock*, 1904)

We seem to think ivverybody's barns is spoilt, awbud wer awn! (*Stubbs*, 1909)

"Misfortunes nivver comes singly," as t' chap sed when t' middiff tell'd him the' wor triplets! (*Stubbs*, 1909)

It's a waste o' time tryin ta convince th' bairns 'at it's wrong ta dew summat 'at yor allus dewin yorsen. (*Chimney Nook*, 1911)

If yo want ta bring up a bairn e t' way it should gooa yo mun be sure ta tak that way yersens. (*Pogmoor*, 1897)

This iz what I call Hoam, sweet hoam, sed t' lad when he went ta live at a spice shop. (*Leeds Loiners*, 1876)

A little lass saw a syclist rushin throo a villidge on t'wheel. It wor t' furst bisycle sha'd ivver seen. "Oh, muther, muther, cum heer sharp. Heaz t' knife grinder gone mad." (*Pogmoor*, 1900)

If yo see a womman wi abaht hauf a duzzan bairns, an az monny boxes, gettin in at wun end ov a carridge, yo nip in at t' tuther end, an if yor squeaz'd a bit, nivver heed. (*Pogmoor*, 1861)

Why duz a sarvent lass wear cotton gloves? Becos sha's noa kids. (*Pogmoor*, 1901)

Doant meddle wi onyboddiz else bairns but yer awn; if yo do, yo may hev a medley a musick abaght yer ears at al not varry sooin subside. (*Bramley*, 1886)

It's Harvest Home, when a wurkin man's bairns are so browt up az not ta sauce him. (*Bramley*, 1893)

When yo're pickin a name for a new babby, don't forget at it hez to carry t' name as long as it lives. (*Stubbs*, 1914)

Child workers at Ingrow near Keighley in 1908.

Dooant fancy at becoss ye're one o' th risin generation 'at yo can luk dahn on them 'at's lived befoor yo. Yo may be risin, but yo may have started varry low daan. (*Clock*, 1889)

Mooast young childer think ther father a wonderful chap, but it isn't long befoor they fancy they could taich him a thing or two. (*Clock*, 1908)

A rich man hez wines in his cellar, a poor man varry oft keeps whines in his hahse, especially if heze eight kids under ten year old. (*Pogmoor*, 1877)

Best intentions sometimes produce bad results. Yo goa to th' fair an buy th' lad a drum. It suits th' lad, – but, – ha then? (*Clock*, 1899)

Wheer the's a babby the's awlus summat to tawk abart. (*Stubbs*, 1914)

If "every man is the son of his own works," ther's some watchmakkers at have varry unreliable fathers. (*Clock*, 1897)

When a woman cannot see onny beauty in a babby yo may be sewer it isn't her babby. (*Clock*, 1894)

Izznt it strange that a rich man sud sumtimes mak a poor father? (*Weyver's Awn*, 1883)

Families wi barns an families withaht barns are varry sorry for wun anuther. (*Weyver's Awn*, 1900)

Ta bits o' lads – Doant get it inta yer heeads at ye're men becos ye can smouk an chow bacca, fer monkeys can dew that. Ye'll be men sooin eniff; an owd men afore ye want ta be. (*Weyver's Awn*, 1896)

Yaath it's true will hev its fling, but when it duz it suddant be at foaks' windaz. (*Pogmoor*, 1867)

Advice to mothers: Yo wor lasses yor sens once – nah dooant ivver forget that, an yo'll be mooar likely to understand lasses today. If thear a bit flighty, nivver heead, yo cannot expect kittens to be as soaber as cats. (*Clock*, 1886)

Ta train up a bairn i' t' way it sud goa, is ta goa t' furst an' show it t 'road a bit nah an' then. (*Toddles*, 1872)

Multiplication: Hevin twins once a year for a duzzan years. Addition: A widda wi ten bairns, weddin a widdaer wi ten moar. (*Pogmoor*, 1879)

Some chaps think 'at a hahse i-zzant furnished wol it's full o' bairns. (*Toddles*, 1872)

A blessin ta muthers:
A son at cums in at t' door allas abaht ten o'clock at neet, an not in at t' chaimber winda at all haars i t' mornin.
A dowter at tays a pride in a bit a hahce-wark, an not i bein dresst up furst thing in a mornin, an goin abaht shewin hur fine figure, or sat squallin at a peana t' day throo.
A family a bairns browt up withaht a accident happenin em, an nivver a wun on em causin them at browt em inta t' wurld a minnit a trubble. (*Pogmoor*, 1865)

If lads an lasses didn't think they knew more ner ther fatthers an mothers – well, they wodn't be lads an lasses! (*Stubbs*, 1909)

A bit a Soft Sooap – Tellin a wumman at her bairns a reight bonny little thing, an at it's just like its mother. (*Toddles*, 1863)

Family picktars ar a man's awn bairns; t' gilt frames, hiz breet caantenance; an good examples an advice, t' nails thay hing on. (*Pogmoor*, 1861)

Train yer yung shooits az thale be ornaments ta onny situation, an ta bend, an not breik, when blawn on be t' storms ov advursaty. (*Pogmoor*, 1863)

ANCESTORS

It's a mistack ta think at onny boddy al beleve yo when yo saay at yo're descended direct throo William t' Conqueror, especially iv yer name's Smith, Braan, or Robisen. (*Leeds Loiners*, 1876)

Foaks ar really great becos a ther oan good deeds an not on accahnt ov ther ancestors. A di'mond yo knaw iz vally'd on accahnt ov its oan lustre an not becos a t' rock it wor hewn aht on. (*Pogmoor*, 1898)

It's a suar sign, wen a chap begins a tawkin abaght iz rich relashuns, an t' wisdom ov iz ancesters, at nother hizseln nor iz girt gronfayther wer ivver owt ta speak on. (*Toddles*, 1862)

EDUCATION

Ignorance iz a blenk sheet o' which yo can write; but error is so scribbled ower, at it sometimes taks a gooid deal o' scrattin aht, afore ye can start o' settin out dahn. (*Pudsey*, 1859)

"What does e-i-t-h-e-r spell, feyther?" sed young Bob Syntax one neet as he sat readin' his spellin'-book. "Well," sed th' owd chap, "some fowk call it ither, an' some fowk call it eether, soa it seems to me tha'll be reight if tha calls it awther." (*Clock*, 1921)

Why iz a little boy's schooilmaister like a helmsman on boad a ship? Because he hez ta keep hiz weather e oppen an lewk aght fer squalls. (*Leeds Loiners*, 1875)

Teychers o' singin' cultivate yer voice – if ya hev one. If ya hevn't a voice, they cultivate yor imagination – bi makin' ya think ya hev. (*Clock*, 1924)

If ye can't get exercise eniff i' t' day-time, dew a toathree skooil exercises for yer barns of a neet, an' finnd aht yer awn ignorance. (*Saunterer*, 1880)

Larning needs a willing mind, yo ma show t' jack-ass a book, but yo cannot mak him larn. (*Pogmoor*, 1909)

Ta find t' diamiter ov a circle, treid smartly on a iran hoop, an yol find at mark it macks upa yer shin an daan tut graand, just gies it. (*Pogmoor*, 1850)

SERVANTS

Ta prevent sarvant-lasses fer hevin sweethearts cumin after em, gie ovver brewin, or hevin a ale barril it hause; do this, an yol find a sweetheart al be az rare ta be seen az a Quaker's hymn book. (*Pogmoor*, 1848)

Ta ensure a clean door-step an a breet door-plate, hev a sarvant lass ats fond a starin abaght hur. (*Pogmoor*, 1848)

If yor fond a burnt crust, let yer sarvant lass bake t' bread allus. (*Pogmoor*, 1849)

Deceat – A sarvant lass goin aght a doors at neet, we a pretence ta fetch sum coils, when, at same time, it's nobbut ta see if't sweetheart's onny where abaght. (*Pogmoor*, 1849)

Foaks at keeps hauses an are cumfatubble, but sud like ta naw wot it iz ta be uncumfatubble, let em hev a sarvant lass. (*Pogmoor*, 1850)

A sarvant lass can hear t' saand ov hur sweetheart's whissal raand t' corners a fifteen hauses, an't fall ov hiz fooit t' length ov a street. (*Pogmoor*, 1852)

When a sarvant lass hez a monny sweethearts, it's a sign at where sho lives thay doant lock t' pantry nor cellar door. (*Pogmoor*, 1853)

Sum sarvant lasses ar soa qwiat at they dunnat even disturb t' dust when they sweep a room. (*Pogmoor*, 1909)

If theaze 500 sowgers drillin in a square, or street, hah menny sarvent lasses will ther be lookin aht at chaimber windaz? (*Pogmoor*, 1873)

"Cut, an com agean," az t' sarvant lass sed tut Bobby wen shoo heeard her missus comin daan t' stairs. (*Toddles*, 1864)

Did yo ivver see a sarvant lass at wodn't hav hur Sundaay aght when shoo'd got a new bonnet? (*Toddles*, 1872)

A missis at forbids hur sarvent puttin her fooit aht a t' hahce door, al find at shool put hur head aht a t' chaimber winda. (*Pogmoor*, 1863)

If a sarvent lass sees a regilar set-in rain, an hur missis, at's i t' habbit a goin aht a waukin ivvry day, caant get for it; an t' lass sez ta hursen at theal be nowt but grumlin and folt findin for hur till bed-time: depend on it, shooze hittan t' nail a t' head. (*Pogmoor*, 1861)

If a sarvent lass tays a oal day allas ta get hur hahce wark dun, an hur missis gies hur a promise ov a aht ta goa an see hur friends, or sumady else, yo may calculate a that day at shool hev fettald up before nooin, an off like a red shenk. (*Pogmoor*, 1863)

FRIENDSHIP

To mak a chap laff may mak him yor friend, but to laff at a chap may mak him yor enemy. (*Clock*, 1908)

Friendship iz not a bad umrella when life's stormy, but like mooast uther umrellas when wunce lost it's hard ta find ageean. (*Pogmoor*, 1909)

See at yo cultivate yer friends, for life withaht friends iz like a sky withaht sun. (*Pogmoor*, 1910)

See at yer friends ar t' reight soort; a discreet enemy is better than two indiscreet friends. (*Pogmoor*, 1910)

A long tungue shortens menny an owd acquaintance. (*Pogmoor*, 1844)

If fowk allus spake as they thowt ther'd be few friends. (*Clock*, 1885)

Yo cannot touch pitch withaat gettin defiled, an yo cannot mix wi' bad companions withaat carryin away some smut at'll stick. The purer the hearts ov yor friends an th' breeter will glow yer own gooid qualities. (*Clock*, 1890)

When yo've noa need ov a friend th' world seems full on 'em, but if yo don't want to be bothered wi 'em try to borrow five shillin'. (*Clock*, 1878)

If yo have a true friend, stick to him; put him under a glass case; get a caravan an' start a show. It owt to pay. (*Clock*, 1878)

Adversity is't t' best friendship test. (*Weyver's Awn*, 1896)

If a stranger deceives me aw forgive him, but when a friend betrays me aw'm sorrowful. (*Clock*, 1879)

Awd rayther have a friend 'at could shed one drop o' th' milk o' human kindness, nor one 'at could spew gall bi buckets full. (*Clock*, 1880)

When Fortune's wheel lifts a chap aboon his fellows he should be careful to mak friends o' them below for another turn may land him i' th' midst on 'em agean. (*Clock*, 1880)

If yer trubbled wi too monny visitors who profess to be yer friends, get a sherif to put a bill on th' doorpooast an yo'll sooin find aght ha monny are true. (*Clock*, 1898)

Sum foaks frendship iz offan like a shadda, it sticks ta uz e sunshine, but leeavs uz e advarsaty. (*Pogmoor*, 1891)

When aw can shut mi ears as easily as aw can shut mi e'en, aw can affoord to be less particlar abaat th' compny aw keep. (*Clock*, 1897)

A chap can be sad all alooan, but he cannot be glad withaat company. (*Clock*, 1897)

It's easy to tell when wun of yer mates 'as done yo a nasty trick. He canit lewk yo' straight i' t' face. Unless he's a double-dyed sinner. Then he can lewk yo' straight i' t' face an' tak yer livin throo yo'! (*Stubbs*, 1914)

A chap 'at wilfully plants his fooit on a daisy'll nivver find his name on my list o' friends. (*Clock*, 1918)

ANIMALS

A chap 'at seeks pleasure i' th' compny o' strangers is like a chap 'at tries to catch a cat in a dark raam. He may find it, but he'll be lucky if he gets off withaat scars. (*Clock*, 1889)

If awr chickens get into awr garden it's annoyin; but if they're a naybor's it's an outrage. (*Clock*, 1893)

If fishes had sense enough to keep ther maaths shut they'd miss trouble sometimes, soa wod lots o' fowk. (*Clock*, 1893)

Fowk at dooant like fleeas shouldn't sleep wi hens. (*Clock*, 1895)

When a cat sits we it tail tut fire, it's a sign a wet. When it sits we it noaze it milk bowl, it's a sign ov dry. (*Pogmoor*, 1850)

If yo see t' white rabbat onnywhere, it's a suar sign at it's not a black un. (*Pogmoor*, 1847)

Sum foaks say at man springs thru a munkey, but Tom hez knawn a wuman spring thru a maase. (*Pogmoor*, 1910)

An animal that ye doant want lickin wi' – Cat o' nine tails. (*Pudsey*, 1871)

It's a feearful thing to be raced wi' a lion when yo've th' neetmare. But that's nowt to what it would be if yo wor raced wi' a lion when yo hadn't th' neetmare. Soa yo see, yo've allus summat to be thenkful for. (*Clock*, 1921)

Monny a chap flatters th' monkeys when he ridicules th' idea at he sprung throo that stock. (*Clock*, 1904)

Herbert and Arthur Jarman of Keighley with their prize-winning guinea pigs, about 1908.

English puppies are nivver freetened wen they see German sossiges. (*Leeds Loiners*, 1878)

It's a kind act to help a laim dog ovver a stile, but it's a wise thing to knaw summat abaat th' dog befooar yo start. (*Clock*, 1890)

Be satisfied to start one thing an goa throo wi' it. A dog 'at tries to catch two rats at once misses em booath. (*Clock*, 1892)

A dark lewk aheead – Lewkin throo a cupple ov black een at a black cat e a koil hoil. (*Leeds Loiners*, 1874)

Uncomfortable feelins – Meetin a bull e a narrow loin, when yo can't jump t' hedge on noather side. (*Leeds Loiners*, 1877)

Hah ta mak a cold joint goa a long waay – Oppen t' pantry door when ther's a hungry dog abaght an it al goa a long waay afoar yo see it agean I'll warrant. (*Leeds Loiners*, 1882)

A little dog will mak nearly as big a yelp as a gurt dog, if yo tread on his tale, an ye've all t' same tax to pay for him. (*Pudsey*, 1880)

A donkey is a varry patient animal, but if it used its heels oftener it wod be treated wi more respect. Th' same remark applies to mony men. (*Chimney Nook*, 1909)

Won butterfly duzz'nt mak a spring, but won cat does when he sees a maase. (*Leeds Loiners*, 1879)

If it's a rainy day, an yov schard t' hahce-floor, mind an keep t' aht door shut, if not, it's varry likely at yol hev sum big dog or anuther poppin in, an tryin hah menny fooit marks it can mack on it before yo see it. (*Pogmoor*, 1861)

It's easy for onnybody to see 'at a bull's aght o' place in a china shop, but it's a waste o' wind to tell it to th' shopkeeper or th' bull awther. They fun it aght befoor yo. (*Clock*, 1889)

Mistaken trust – Leavin a cat ta tak care ov a red herrin. (*Leeds Loiners*, 1875)

Uncomfortable feelins – Bein followed daan a dark passage be a dog at bites an duzz'nt bark. (*Leeds Loiners*, 1877)

A driver ov pigs sud be blessed wi four ahnce ov payshuns, an ditto ov policy; bud a man wi a grummlin, discontented bad-tempered wife rekwires a pund o' awther. (*Weyver's Awn*, 1881)

"Every dog hez its day," bud t' neets are devoted to cats. (*Weyver's Awn*, 1883)

Awd ommust as sooin find misen at th' front ov a lion as at th' back ov a mule. (*Clock*, 1885)

It is said at a camil will work seven days withaht eytin or suppin. A gurt deal o' men hed raither heyt an sup seven days withaht workin. (*Weyver's Awn*, 1885)

If yo deeal kindly wi animals, thay'll show ther gratitude e sum way or uther. That's whear thay hev t' advantage ov monny a man. (*Weyver's Awn*, 1900)

Moveable feasts – Leavin t' cat an dog i t' hahce, and t' pantry door hoppan. (*Pogmoor*, 1860)

When a lock's pickt, it's noa use ov a dog weggin it tail for t' bone. (*Pogmoor*, 1873)

Turn-of-the-century cattle fair at Skipton.

If sum fouks at keeps a dog, hed ta keep a pig astead, ear ad be moar comfort to't nayberhooid an more profit to thersens. (*Pudsey*, 1859)

T' difference between a carridge horse an a carridge wheel is this – at wun goas t' best when it's tired, an t' other dusen't. (*Weyver's Awn*, 1891)

"Yahth will hev it fling," sed t' farmer's wife when t' kittlin jumped intul a bowl o' milk. (*Weyver's Awn*, 1877)

LOVE AND MARRIAGE

women – bachelors – love
– courting – marriage

WOMEN

Evolushanists explain a good deeal, but noan on em ivver explained a wuman's mind. (*Pogmoor*, 1899)

Nearly ivvery unwed woman thinks shoo can manage a man. Onnyhah, shoo allus says soa. Ah've noa daht shoo'd like ta try. Bud, after all, it's happen nobbud a spinster 'at can manage a man, an' that's varry likely hah it is 'at noa man ivver weds her. He darn't! (*Stubbs*, 1925)

More ner one woman's idea of savin' summat is ta goa ta a sale an' buy a lot a' stuff shoo doesn't want fer six times as mitch o' summat shoo does want, just becos it's cheap! (*Stubbs*, 1926)

Yung men shud sow good seed, an' leave it tut wimmen to sew tares an' breeches. (*Weyver's Awn*, 1882)

Women must be a disagreeable lot, for when two on 'em fall aht, it doesn't matter which on 'em comes to tell yo abaht it, it's allus th'other woman 'at's to blame. (*Clock*, 1928)

A risky business – Tellin' a woman shoo's lewkin' owder nor shoo wor. (*Yorkshireman*, 1878)

When aw see a lass 'at's ovver fond o' doncin, aw allus think shoo's like a cheap sofa – all wind an springs, an when th' aghtside beauty is worn off, shoo's nowt worth. (*Clock*, 1890)

If all t' men were women, an' all t' women men, ivverything 'ud be done reyt. (*Yorkshireman*, 1887)

T' spirit of inquiry is nivver fully developed in a woman whol shoo finnds a long hair 'at doesn't match wi' her awn on her husband's coit. (*Yorkshireman*, 1888)

It's impossible for a vain woman ta pass a bonnet shop withaght lewking in. (*Leeds Loiners*, 1882)

One woman can mak ten men miserable. (*Stubbs*, 1909)

T' Fair Sex:
Them at duzzant wait wal ther huzband hez goan o hiz wark, an then sets off a gossapin.
Them at allas tells ther huzband hiz folts to hiz faice, an not behind hiz back to her nabors.
Them at duzzant mak fat cake for thersenze, an stew t' owd tea leaves for ther huzband.
Them at duzzant think at it's reight ta gie ther huzband t' bairn ta nurse, wal thare runnin abaht tu tea drinkins.
Them at gets sideand up at a deacent haar i t' day, an duzzant leave it till just a minnit or two before ther huzband cums hoame throo hiz wark at neet.
Them at's az plezant on a wesh-day, az thay ar when thave t' dress maker i t' hahce.
Them at duzzant think it reight ta be allas runnin abaht wi ther huzband, like a little dog, ivvry time thay happen ta be goin onnywhere. (*Pogmoor*, 1861)

When a woman tells a man he's a pair o' wicked e'es shoo's happen as bad as him. (*Stubbs*, 1909)

Aw nivver knew a woman 'at wor fond ov admiration 'at didn't strive to merit it, nor one 'at despised it 'at desarved it. (*Clock*, 1906)

Women's ways – Goin ta tea pairties, an tayin their yungest bairn wi em ta onoy them at hez noan. (*Pogmoor*, 1860)

If a womman begins a findin all macks a folts wi hur bonnit, an t' huzband tells hur at it means nowt but a new an: depend on it, he'ze hittan t' nail a t' head. (*Pogmoor*, 1861)

He's a kweear chap at no wumman'll hev, an it's a varry strait dress at a wumman weant skweeaze hersen into, if it nobbud be feshunable. (*Weyver's Awn*, 1880)

Maxims for single yung wimmin:
Nivver saay at yo wean't be marrid – wal yo've hed a chonce.
Nivver be cocky wit chap ower sooin. See at twig's weel limed afoar yo ruffle t' burd's fethurs.
Nivver encurridge onny yung man ta cum ta see yo at izzant steddy, or yo may hev ta sup sorra be spoinfuls. (*Toddles*, 1863)

Bonny lasses pleaz the seet, but buty izzant made ta eet; An a lass at's got som tin, mak's amends fur ruffish skin. (*Toddles*, 1863)

A woman's hardest hod is to hod her tung. A man's hardest wark is to mak her. (*Weyver's Awn*, 1878)

Women's rights hev grown ta sich an alarming extent wol t' fair sex hev become unfair, an' astead a gloryin e been called t' owd rib, seem to wish for t' name ot rib-smasher astead. (*Toddles*, 1875)

Ther's nowt suits an old woman as weel as to be takken for her husband's dowter. (*Clock*, 1904)

When yo meet wi a wuman at's nowt gooid to say abaat other wimmen, yo may be sewer shoo's noa gooid hersen. (*Clock*, 1935)

Aw've nooaticed 'at some wimmen who say they care nowt abaat men, watch 'em varry cloice when they happen to get one. (*Clock*, 1935)

A woman 'at flirts for fun lessens th' market price ov her virtue. (*Clock*, 1913)

When a woman has to mak up her mind, shoo allus wants a man to help her. (*Clock*, 1910)

Women like to be flattered; men like ta flatter th'rsen. (*Clock*, 1924)

When a woman's made up her mind to do a thing, shoo begins to wonder if it's worth dooin. (*Clock*, 1910)

Men arr moor content wi things as they are ner wimmen. It's a reglar thing to hear a woman wish shoo wer a man, but yo seldom hear a man wish he wor a woman. He's moor sense. (*Clock*, 1904)

A lass 'at's gooid teeth is nivver ashamed to laff. (*Clock*, 1910)

E wot munth do wimmin tawk t' leeast? Febrewerry. It's shortest yo knaw. (*Pogmoor*, 1897)

A woman varry seldom puts off wol ta-morn what shoo can weear ta-day. (*Clock*, 1924)

A 1930s bride and her attendants. The next-door neighbours have come out to watch, and a little urchin has wandered in from the left.

A Yorkshire street prepares to celebrate the 1937 Coronation.

A woman can be mooar faithful ner a dog, bolder ner a lion, fiercer ner a wolf, mooar vishous ner a cat, an mooar cunnin' ner a box o' monkeys. (*Clock*, 1936)

Ther's a deeal o' fowk discovered, when it wor too lat, at pretty wimmin are oftens th' same as cheap watches, varry nice indeed ta luk at, but not mich use, an exceedin difficult to regulate if they tak to goin wrang. (*Clock*, 1883)

A poppy: A lass 'at works at th' miln an' dons hersen up as if shoo'd £10,000 a year. When it's spelt wi' a U asteead of a O, it's a male plant.

A snowdrop: A daycent lass 'at keeps hersen tidy an' cleean, an' helps her mother of a neet asteead o' bein gaddin abaght wi' th' young chaps. Ther's net monny o' theas, but they're varry mich prized when they're met wi'.

Damsels or damsons: A varry nice fruit to presarve, but unfortunatly they dooant keep long; young lads are the varry hangment after 'em, an' yo mud as weel let 'em have 'em, for if yo dooant they sooin grow maald, an' nobdy'll luk th' side they're on. (*Clock*, 1870)

It's nattaral, when a womman iz az much it draper's an milliner's shop az shoo iz in hur awn hahce, for them at naws it ta say, God help t' poor fella at's teed to hur. (*Pogmoor*, 1864)

If it's a fact at a womman al awlas hev t' last wurd, abaht when do yo rekan at a sqwabble between two wimmin al end? (*Pogmoor*, 1891)

When a woman buys a new frock it isn't allus becos shoo needs wun, but as often as net tu mak neighbours feel jealous. (*Chimney Nook*, 1910)

It's noa use lukkin glasses castin reflections on wimmen, for wimmen wor made befoor lukkin glasses, an they're befoore em yet a gooid deeal o' ther time. (*Clock*, 1895)

A woman asleep on th' hearthstun is better occupied nor if shoo wor gossipin. (*Clock*, 1896)

Menny a man thinks, or sez, he can read a wuman like a book, but let him try ta shut her up. (*Pogmoor*, 1910)

Did yo ivver knaw a wummon at wod awn at her shooin wor a size ta small? If shoo's forced ta walk as if shoo wor treydin on brokken glass, sho'll swear at thare a size biggar ner what shoo ewshally wears. (*Weyver's Awn*, 1900)

When a womman gets a new gaan, or a new bonnit, yol find at shool be for a fortnit more it street an e uther foaks hauses, then wot sho will be in hur awn. (*Pogmoor*, 1851)

Mooast men's aim i' life is ta get on; all women's aim is ta get off! (*Clock*, 1924)

If a womman's seen ta scrat hur head, an bite hur lip at same time, expeckt a storm. (*Pogmoor*, 1843)

A woman 'at nivver finds fault is as scarce as a man who nivver commited one. Aw nivver met awther on em. (*Clock*, 1908)

If yo want yor next door nabor ta look faal, invite two or three wimmin aght ov anuther street ta cum an get ther tea wea, an doant ax hur. (*Pogmoor*, 1844)

A gossapin womman allas goaze hoam loadand we lies. (*Pogmoor*, 1845)

If yo want ta see a womman in a bad temper, goa where thears wun settin a stump bedsteid up; but just let it be wal it's been onta hur toes five or six times, it's prime then. (*Pogmoor*, 1845)

Sum wimmin are fond a tellin hah little ther hause costs em; but tacks care not ta say a wurd wot ther backs costs ther husbands. (*Pogmoor*, 1850)

They say it taks nine tailors to mak a man – but they dooan't say hah monny dressmakkers it taks to mak a woman! (*Stubbs*, 1914)

A woman'll ware 16s 11d wheer shoo woddent give 17s. (*Stubbs*, 1914)

Wimmin will sympathise wi a chap 'at has a brokken heart, but if he has a brokken nooas they give him a polite snub. (*Clock*, 1915)

If a woman axes yo for a candied opinion abaat her, shoo expects yo ta start lyin. (*Clock*, 1915)

Wat maks a young laady? – Won gipsy hat, won chinon, won pollynaze, won fan, won smellin bottle, won parasol, an won poodle dog; domestic duties net understood. (*Leeds Loiners*, 1878)

Nivver send a servant lass tul a bonnet shop iv yo want her back sooin, t' colours arr vary temptin. (*Leeds Loiners*, 1878)

"Time an tide wait fer noa man." Wi wimmen, of coarse, it's different, espeshally when they get aboon thurty. (*Leeds Loiners*, 1881)

Bobby Burns says "Man is made to mourn," an it's my opinion at Wimmen wor made to see at he does it. (*Clock*, 1904)

Ther's net mich difference between men an wimmen after all. A man gies a shillin for a sixpenny thing he wants, an a woman gies sixpense for a shillin thing shoo doesn't want. (*Clock*, 1904)

A woman can allus be relied on to keep one secret – th' year shoo wor born in. (*Chimney Nook*, 1909)

It's a varry owd sheep at a butcher cannot mak a nuviss beleeve is a lamb; and the age ov a horse is like that ov a wumman – uncertain. (*Pudsey*, 1881)

Ther's nowt maks a woman as mad as to have a saycret 'at nubdy wants ta know. (*Clock*, 1893)

Moor wimmen lang to be bonny nor what lang to be gooid. (*Clock*, 1906)

A model wumman – A dummy e a millinur's shop. (*Leeds Loiners*, 1874)

Sum wimins' mahths ar that small at they cannot even howd ther own tungs. (*Pogmoor*, 1900)

Wimin at do fancy wurk, az a rule doan't fancy wark at all. (*Pogmoor*, 1904)

If a womman gets a new gaan home throo t' dress-macker, an she duzzant find onny folt we it, it's a wunder. (*Bramley*, 1885)

When a lass passes me an leaves behund her a scent as if shoo wor a crackt O. D. Colong bottle, aw connot help wonderin what her natteral smell wod be like; but aw nivver want to find aght for awve a varry kittle stummak. (*Clock*, 1906)

If a womman goes past a draper's shop wethaght kestin her eye in at winda, it's a wunder. (*Bramley*, 1885)

Nivver arggy wit ladies, fur yo'll find at e spinnin a yarn amang t' silks an sattins, a man iz suar ta be wursted. (*Toddles*, 1863)

It's fair – When a womman goaze to a plaice a wurship we a good intent, an not ta see t' fashan a foaks bonnits an dresses, az a menny do. (*Bramley*, 1887)

Sum women hev faand aght 'at keepin a lodger often helps ta keep th' husband at home. (*Chimney Nook*, 1910)

T' song says, "There's room enuff fer all," bud if twimmin keeps increasin e dimensions as they hev done alatly it's varry like at sum o' us poor men al hev ta stand daingerusly near t' edge! (*Pudsey*, 1859)

A worritting wuman iz war nor a fretful bairn, for yo can gie t' bairn soothing syrrup, but nowt al passify t' worritter. (*Pogmoor*, 1897)

A plate lick'd be a cat iz offance cleaner then them at's wesht be a laizy womman's fingers. (*Pogmoor*, 1847)

Bad tempered wimmin hav started mooar men on t' road ta perdishun nor all t' ale at's ivver been brewed. (*Pudsey*, 1897)

A man hez his will, but t' wuman gets hur way. (*Pogmoor*, 1898)

It's calkilated 'at th' average number o' airs on a chap's heead is 120,000, but that's nowt to th' numba o' airs at a lass wi a new bonnet can put on. (*Clock*, 1898)

Poets an painters allus represent angels as women; why, if sich wor th' case ther'd be sicha ivverlastin cacklin wol they'd nivver hear th' mewsic. (*Clock*, 1898)

A woman at thraws hersen at a man's heead, al sooin be fun at hiz feet. (*Pogmoor*, 1892)

If yo want a bit o' news spreydin, tell it ta t' wumman next door, an say it's a gurt secret, an yo don't want onnyboddy ta knaw. (*Weyver's Awn*, 1896)

BACHELORS

A grumpy owd bachelor sez ships are called "she" becos thay allus keep a man on t' lewk aht. (*Weyver's Awn*, 1878)

When a chap's nawther ornamental nor useful he owt to get wed. Somedy mun luk after him. (*Clock*, 1889)

Doan't get wed at all iv yo'd rayther keep single. Won donkey's eniff e a donkey cart. (*Leeds Loiners*, 1876)

Why is an old bachelor always in the right? Because he is nivver miss-takken. (*Bramley*, 1889)

When a wed chap says he pitties a bachelor he's a humbug. (*Clock*, 1910)

Boys' outing: members of an early Yorkshire cycling club.

If yo want to live as long as Methuslum did do as he did. He kept single until he wor a hundred an eighty six. If yo're anxious it's worth a trial. (*Clock*, 1904)

Ther's nowt i' this world 'at a chap owt to be moor thankful for nor a gooid wife, except being able to do withaat. (*Clock*, 1878)

When yo' hear a chap say 'at if he'd his time to do ovver agean, he'd nivver get wed, yo' may generally mak' sewer 'at he's getten to that state 'at he'd be noa use if he did. (*Clock*, 1885)

Ther's a purple side tul a grape, a mellow side tul a peach, an a sunny side tul a man ats getten a good wife; but what abaght him at hezzn't, hiz al be't shady side I sud saay. (*Leeds Loiners*, 1879)

T' Consentrashun ov Cowld – An owd batchelor's noase ov a frosty mornin. (*Toddles*, 1863)

When a young chap sets aght to leearn all it's possible ta know abaat wimmen before he gets wed, it's a soverin to a hayseed he dees single. (*Clock*, 1908)

Why iz Leeds Brig like an owd batchelor? Coz it owt ta be *altar'd*, fur suar. (*Toddles*, 1863)

Frank Funnyboddy, e Broad Loin, discover'd at snow stops upat slates ov a hause wher an owd Batchiller lives, two days longer than upa ony body elsas. (*Bramley*, 1868)

Hah ta hev a happy New Year – Goa ta cherch wi' a nice young womman, an' get t' parson ta put on hiz white gaan, an' rub t' musty title ov "owd batchiller" off an yo. (*Bramley*, 1886)

When Peter Wimlack gat wed t' third time his grumpy owd bachelor uncle sed he wor nobbud makkin a third *miss*-tak. (*Pudsey*, 1877)

T' kindest thing some men can dew ta women 'at really loves 'em is ta leave 'em unwed. A lot o' men sudn't think they're dewin' women a gooid turn bi weddin' 'em. T' booit's varry often on t' other fooit. (*Stubbs*, 1925)

Owd batchelors is like owd wood – hard ta get agate o' burnin, but when they du start they mak a famous blaze. (*Pudsey*, 1867)

A man 'at nivver gets wed may miss a gooid deal o' pleasure, an' be a fooil, but he isn't reminded abaht it as oft as he wod hev been if he he'd been wed. It's one thing bein' a fooil an' another to hev a wife to keep tellin' ya abaht it. (*Stubbs*, 1925)

A wife is a gurt comfort durin' all t' troubles that a bachelor nivver hes. (*Stubbs*, 1926)

A chap 'ats nivver been wed has saved some woman a lot o' trouble. (*Clock*, 1885)

If ivver yo see a chap 'at's allus smilin an smirkin, an snickerin at ivvery woman he meets, yo may be sewer he's wed. Single chaps, as a rule, are content wi one, until they get her. (*Clock*, 1896)

When a man's married he gies up wun thing at leeast for hiz wife's sake – he gies up being a bachelor. (*Pogmoor*, 1910)

LOVE

Hah yo can tell when a lass iz e luv – When shoo tries ta butter t' cake wi a toastin fork, an goes intut coil hoil a seekin hur Sundaay bonnet. Yo maay guess shoos far goan then. (*Leeds Loiners*, 1875)

Love can be starved to deeath, like a plant. (*Stubbs*, 1914)

It's a fooilish thing deein fer luv when sausages ad cure yo. (*Leeds Loiners*, 1875)

Love is like a vegetable marra. It wants weel muckin' ta keep it alive. An', of course, if it isn't mucked at all it sooin dees an' disappears. (*Stubbs*, 1925)

When poverty comes in at t' front door, love sometimes hops it dahn t' cellar steps. (*Clock*, 1924)

They say that i' China a kiss is lewked on as a punishment. It isn't i'Yorksher. Bud if it is, there's a lot o' lasses – an' lads, an' all, for that matter – 'at can tak' a gooid deal o' punishment! (*Clock*, 1926)

It saands strange, but it's true – it's them we love best 'at causes us th' mooast heartaches. (*Clock*, 1935)

Red-hot lovers are oft cool liars. (*Clock*, 1885)

When t' course o' true love dusn't run smooth, it wants greeasin wi' a feather dipp'd in a bottle o' common-sense! (*Stubbs*, 1909)

A lass generly fancies shoo loves a chap awther becose somdy else is likely to get him, or becose her payrents say shoo shalln't have him. (*Clock*, 1906)

Wen poverty cums in at t' winder, luv flees hoot at t' door. (*Nidderdill*, 1873)

Mary sed, "If John railly loved me he'd stop smookin," an John sed, "If Mary loved me shoo wodn't ax me to." Soa th' parson's lost a job. (*Clock*, 1904)

Let yer luv be as warm as it may, so long as yo keep yor heead cooil. (*Chimney Nook*, 1910)

Try ta be reasonable. But then, ther nivver wor mich reason abaat luv, an nivver will be. (*Chimney Nook*, 1910)

Luv is like a painter who, in drawin t' portrait ov a frend hevvin a blemish i' wun ee, wod picter nobbud t' uther side o' t' face. (*Weyver's Awn*, 1900)

Luv is t' most delightful pashun ov mankind. What a pity at weddin sud so often put an end tul it. (*Pudsey*, 1881)

Luv is like treeacle, ta mich on it is apt ta mak fowk feel sick. (*Pudsey*, 1897)

Love iz like cobbler's wax, soa I've herd, when yo wunce get intul it, it sticks ta yo; but yo knaw it melts an runs awaay when it gets where it's ta hoat fer it. T' same az love when yo goa intut Divorce Court. (*Leeds Loiners*, 1877)

Love iz like a apple – it gets less wi pairin. (*Pogmoor*, 1892)

T' man at luvs hizsen hez noa fear a been jilted. (*Pogmoor*, 1899)

Love doesn't, after all, mak' t' world goa rahnd, as fowk says it does. It just mak's 'em dizzy. Soa it lewks like it. An', of course, when they think t' world's goin' rahnd it's nobbud the'r awn heead. (*Stubbs*, 1925)

Sum foak's luv iz like a pipe, it burns wi a breet spark for awhile an then leeavs nowt but ashes. (*Pogmoor*, 1909)

T' test a true luv iz not wot it demands, but wot it can be content ta do withaht. (*Pogmoor*, 1910)

Luv iz a good thing, an t' best kind a luv for ivvry-day use iz luv for yer wark. (*Pogmoor*, 1910)

It isn't trew at luv maks all things eeazy, it maks fooaks chowse wot's difficult. (*Pogmoor*, 1909)

Dunnot reckon your sweetheart's love by t' number o' kisses. (*Yorkshireman*, 1887)

A fancy fair – Thinkin' t' woman ye love bewtiful, when ivverybody else's notion is 'at shoo's ugly. (*Yorkshireman*, 1894)

A love at nivver dees e a woman – Her love fer a new bonnet. (*Leeds Loiners*, 1882)

T' best way ta keep a man's luv – Dooant return it. (*Pogmoor*, 1909)

Luv iz like a duck's fooit, it ofans lays hidden in the breast. (*Pogmoor*, 1909)

COURTING

Courting is t' wine o' life; weddin' is t' mornin' after. (*Clock*, 1924)

When a lass thinks shoo's too old to laike wi a doll, some chap is i' danger. (*Clock*, 1912)

Freedom at press – It's graand iz t' freedom et press, az t' luver sed when he press'd hiz lips agean hiz sweethearts. (*Leeds Loiners*, 1875)

A single chap 'at's known to have a lot o' brass may cause a flutter amang a bunch o' young lasses, but a young lass wi a pair o' breet een can unsettle a taanship. (*Clock*, 1913)

When a chap wants to mak his sweetheart a present ov a pair o' gloves or slippers, an he doesn't knaw what size shoo taks, he should get em little enuff, an shoo'll be suited wi em even if shoo cannot get em on. (*Clock*, 1901)

When ye' see a little lass laikin wi' her dolly, yo' see human Nature in her most natural state. That little lass would like to laik wi her dolly when shoo lives to be sweet sixteen, unkissed; – but human Nature isn't as natural at sixteen as it is at six. (*Stubbs*, 1914)

Hah ta get hoarsness an a Soar Throat – Wear a muffler during t' daay, an tak it off at neet when yo goa a courting. (*Leeds Loiners*, 1882)

When a young chap has getten a haase nicely furnished, an paid for, he's a better chonce o' gettin a wife ner one 'at smooks cigars an curls his mustash. (*Clock*, 1913)

He's a clivver chap 'at's as clivver as his sweetheart thinks he is. (*Clock*, 1910)

Ther's monny a lass wod be willin to wed a chap if shoo wodn't be expected to live wi him. (*Clock*, 1910)

Iv yo want yor sweetheart ta get t' reight valentine, goa yer sen, natural kisses arr a deal better ner cyphers put on paper, try it an see iv I'm reight. (*Leeds Loiners*, 1879)

Cooartin owt ta be dun varry gingerly. Ye sud draw on yer lass az yo wod a tite gluv – a bit at a time, wal yo get hur farely ta fit yo. But iv yore ower ruff at t' furst, yore suar ta burst t' stitches, an t' job al be compleatly spoild. (*Toddles*, 1863)

A Valantine at's wurth havin – A chap at goas hizsen atstead ov sendin t' poastman. (*Leeds Loiners*, 1875)

A Miss-understandin – A yung woman's booit, asteead ov her hand. (*Pudsey*, 1879)

Don't think yor neglected if yer don't see wun another for a few days. Yo'll see eniff ov wun another when yo get wed. (*Chimney Nook*, 1910)

Ah met her in a loane, atween sum o-thorn bushes; ah clasped ma'y arms i' glee, an' too her buzzum rushes; ah kiss'd her a' so sweetly, ah did her ommast smuther; Wen lo! wak went me'y cheek! ah fun it warr her muther! (*Nidderdill*, 1874)

Lavender scented valentines, stuffed wi cotton wool, are goin aght o' date, but yo can get sum nice boxes stuffed wi chocolate, an yo can't send a mich sweeter valentine ner that. (*Chimney Nook*, 1911)

It's fair – When a yung womman at hez a sweetheart, an he sees hur waukin we anuther yung man, an she duzant say it wor hur cuzan. (*Bramley*, 1887)

A chap 'at expects to wed an angel should make sure ov her wings afore he gooas to th' church. (*Clock*, 1868)

A fair face an' a faal heart is like a clean dicky an' a mucky shirt. (*Clock*, 1868)

Chewsin a wife is like orderin a meeal at a cook's shop; ye mayn't get what ye want bud ye'll get summat. (*Weyver's Awn*, 1895)

My advice ta yung fellows abaht ta get married is, think it ower weel for wen yo get wed yo happen weant be allahd ta think at all. (*Weyver's Awn*, 1895)

A kuss withaat a mustash is like plum duff withaat sugar an' currants in it. (*Clock*, 1887)

MARRIAGE

Advice to young chaps: If yor owd enuff, an strong enuff, an' have brass enuff, get wed befoor next March cooms raand. It'll net cost yo varry mich mooar nor it does nah ta live single, an' yo'll be a deeal happier; an th' best ov it is, at yo'll have sumby to throw th' blame on, if owt happens to goa wrang at onny time. (*Clock*, 1886)

Advice to newly wed wimmin: Dooant expect yor husbands to be perfect, th' best ov 'em are men, an all men are as selfish as owt. They're soft when ther ill, an maisterful when they're weel. But if yo goa th' reight way abaht it yo can wind em raand yor little finger. Wi' a paper o' bacca an a smile yo can soften th' hardest heart; an a kiss'll monny a time mak up for a varry ill cooiked dinner. (*Clock*, 1886)

It's a bad haupney, it iz, a man weddin a womman wi an idea at shooze swey'd dahn wi brass, an hur doin t' same, thinkin at he'ze sum, an it turns aht, when they've been tagether a bit, at nawther on ems noane. (*Pogmoor*, 1865)

It's reight, at a womman sud at all times hev six wurds to her huzband's wun, when it iz at they're fratchin; an two when they arrant. (*Pogmoor*, 1867)

When a man's wife goas abaaht her wark spoortin' a lot o' frills an' lace, yo may guess her husband spoorts fringe on his shirt cuffs. (*Clock*, 1885)

Advice to spinsters: If yo want to get wed, an' yo've set yor heart o' onny chap an' he will'nt ax yo to wed him, why yo ax him to wed yo. My missis axd me to wed her – Aw wish shoo hadn't. (*Clock*, 1886)

Edwardian comic postcard of Holme House Wood, near Keighley.

Ah thowt t' furst munth ah wor wed at ah cud eit my wife; ah wish nah at ah hed done, for shoo worries at me every day. (*Pogmoor*, 1878)

Yo must gie a bit, an' tak a bit, an' dooant booath be aght o' temper o' th' same day. (*Clock*, 1886)

A man's worth mooar nor a woman at a weddin' – for th' bride's geean away, but th' bridegrooam's sold. (*Clock*, 1887)

A prudent couple weean't get wed till they've meeans. (*Stubbs*, 1909)

Ivvery new wed couple firmly believes they're bahn to be better ner ivverybody else. But they sooin sattle into t' same owd rut. (*Stubbs*, 1909)

They say t' course o' true love nivver did run snod; but if a couple loves one another sincerely, they'll mak t' course as snod as they can. (*Stubbs*, 1914)

If a man an hiz wife iz heard differin, an eaze sumady goaze in ta t' hahce ta mack peace, look for em cumin aht agean a varry deal sharper then wot thay did when thay whent in. (*Pogmoor*, 1874)

Foaks fallin suddenly i luve arant allas set a ther legs when thare wed. (*Pogmoor*, 1863)

Doan't get wed ta sooin, an doan't get wed ta lat. T' middle course iz t' best, iv yo can meet wi onny boddy at al have yo. (*Leeds Loiners*, 1876)

A labour o' love – Weshin up t' pots for t' wife. (*Pogmoor*, 1878)

T' best cure for love-sickness – Gettin wed. (*Stubbs*, 1909)

When a man cums hoame late at neet, or raither early i t' mornin, an hiz wife nawther looks nor speiks to him – he may, for a sartanty, prepare hizzen before goin to sleep for hearin a storm. (*Pogmoor*, 1860)

Love in a pig-hoil brings more trewer happiness ner Hate in a castle. (*Stubbs*, 1909)

Hah ta get rid ov a muther-e-law: Doant marry. (*Weyver's Awn*, 1891)

Doan't get wed fer brass, but get all at ivver yo can be t' bargen; it al du just az weel iv thers plenty on it. (*Leeds Loiners*, 1876)

Owd bachelor Grumpus sez at lovers are like a regiment ov sowgers – they get along well enuf until th' engagement begins. (*Weyver's Awn*, 1881)

A young widow's sorrow is oft soa heavy 'at shoo has to get another chap to help her to hug it. (*Clock*, 1885)

It is t' heyt o' misery for a man at can't sleep ta wed a lass at snores. (*Weyver's Awn*, 1900)

When ye see a chap wi noa buttons on his cooit an abaht a cupple on his waiscoyt, it's a sign at he awther hezzn't a wife, or wod be mich better baht wun. (*Weyver's Awn*, 1900)

When a chap at's been wed twenty yeear ses at he's nivver hed a wreng wurd wi t' wife, if he issnt a liar, it's easy ta tell who's t' gaffer ta thare hahse. (*Weyver's Awn*, 1900)

"Change is our portion here," but if it wor as easy for wed fowk to get single, as for single fowk to get wed, ther'd be moor changes nor ther is. (*Clock*, 1881)

When an old man gets wed to a young lass aw allus pity one on 'em, but aw leeav yo to guess which. (*Clock*, 1881)

Noa chap praises his wife for economy becoss shoo's savin her weddin gown for another occasion. (*Clock*, 1894)

A chap 'at weds a widder is like a chap 'at taks furnished lodgins – he's sewer to be bothered wi some rubbish 'at th' last tenant left. (*Clock*, 1896)

Onnybody can traid on yo're wife's corn withaat makkin' her yell, but yo. (*Clock*, 1885)

When a woman declares shoo wed th' best man 'at ivver lived, yo may be sewer shoo's awther a bride or a widder. (*Clock*, 1893)

A wife at's onny respect for her husband's moral welfare will nivver leave his shirt withaat buttons. (*Clock*, 1895)

When ivverything seems to be gooin wrang wi' a chap, an he cannot lig th' blame on his wife, marriage is a failure. (*Clock*, 1893)

When a chap tells his sweetheart at he cannot live baght her, th' chances are 'at after they're been wed a bit he'll find 'at he connot live wi her. (*Clock*, 1894)

Fooaks say at married life duz change one; and for mesen ah'v gen'rally fon at it changes two. (*Pogmoor*, 1909)

That chap at freeats th' laadest ovver th' loss ov his wife generally is th' mooast particlar i' choosin a haaskeeper. (*Clock*, 1896)

It's a suar sign, wen a wumman calls her husband a kind an gooid hearted creatur reight afore iz face, at sho wants a new bonnet, or a feather e her hat ta goa tut sea-soide wi. (*Toddles*, 1862)

It's a fooilish noashun, fur a husband ta eggspect at iz better hauf all giv up quarrellin wi im till sho's hed t' last wurd. (*Toddles*, 1862)

If yer wife iz up stairs, an yo callin to hur, sho sez, "cummin in a minnit" – tack a two mile wauk, an when yo get back agean, yo may calkelate at shool just hev cum daan. (*Pogmoor*, 1851)

Afoor marridge a timid man duznt knaw what ta say, after marridge he's afeard ta say it. (*Pogmoor*, 1910)

If yo think yor wife spends too mich time wi Mistress Jooans, next door, just tell her yo think Mistress Jooans is th' nicest woman yo ivver met. Shoo'll stop it. (*Clock*, 1901)

Keepin a husband i' hot watter doesn't mak him tender. (*Clock*, 1910)

When a chap's been wed a few years he thinks his old rivals owe him a pension. (*Clock*, 1910)

Someb'dy as'd what wor poor Joa's last words. T' reply wor, "He hed noa last words. T' wife wor wi' him ta t' end." (*Clock*, 1925)

When ya see what some lasses wed ya knaw hah they must hate ta work for a livin'. (*Clock*, 1936)

A payin' business – Givin' yer wife whativver shoo axes for. (*Yorkshireman*, 1878)

A lifebelt – Matrimony. (*Yorkshireman*, 1888)

Th' praader a widdy is ov her weeds an' th' readier shoo is to pairt wi em. (*Clock*, 1877)

Ther's monny a lass at's too praad to be a sarvent at five shillin' a wick at's ranty to get wed, an's willing to do th' same wark for nowt, an' thinks hersen weel paid becos shoos called a mistress. Ther's summat in a name after all. (*Clock*, 1877)

Ther's monny a chap 'at's willin' to dee for her he loves, 'at wodn't blackleead th' grate for her even if shoo'd th' backwark. (*Clock*, 1878)

A chap's karacter can oft be best read in his wife's face. (*Clock*, 1878)

If ther's owt in a haase 'at's better nor a gooid husband, it's a gooid wife. Pity they're soa scarce. (*Clock*, 1890)

When a wife is praader ov her face nor her fireside her husband luks elsewhear for comfort. (*Clock*, 1880)

When a chap says he'll tak' a woman for better or for war, he nobbut means hawf o' what he says. (*Clock*, 1885)

If yo' love a lass, are yo' forced to love her mother? Nah, then, ye chaps at's wed, dooan't awl speyk at wunce! (*Stubbs*, 1914)

When a husband haz a Lodge neet ta attend tul four times a week, it's time at hiz wife lewked after him, ta see whe're he goes tul. (*Leeds Loiners*, 1882)

Hah t' cook a Gooise – Treat yor husband wi a hawf pund ov Copes "Havehannah," an give him a drop ov summat nice wi a bit ov sugar in it ivvery neet, wal he buys yo a new silk dress. (*Leeds Loiners*, 1882)

A woman 'at lets a man wed her for her brass is a fooil; but th' man 'at weds her is a thief, for he's obtained brass under false pretences. (*Clock*, 1923)

Monny a man is praad becoss he's succeeded i' winnin th' sweetest woman i' th' world when shoo's been danglin a hook to catch him for a twelve month. (*Clock*, 1912)

If yor wife liggs i' bed ov a mornin an neglects ye, persuade her to engage a gooid-lukkin sarvent lass, an aw'll bet shoo'll be daan stairs as sooin as ye in a mornin an will see yo safely to bed at neet. (*Clock*, 1904)

Nah, what it is for an oud fooil to be ta'en up wi' a young woman! It seldom leets t' other way rahnd! They knaw what comfort is, does men! (*Stubbs*, 1914)

Hook yer wife's gaan when shoo axes yo, but avoid rufflin hur temper at onny time. (*Bramley*, 1886)

Takkin humanity on trust – Weddin a woman at yo doant knaw. (*Leeds Loiners*, 1876)

Doan't get wed ta onnyboddy ats as owd agean, becos it izzn't seasonable ta hev snaw e Maay. (*Leeds Loiners*, 1876)

Hah ta prevent differing we t' wife – Let her hev her awn waay, an then yo'll du it. (*Leeds Loiners*, 1882)

Billy Toddy gat inta trubble we weddin two wives. There's sum at gets into trubble we nobbut wedding one. (*Pudsey*, 1867)

Varry often th' only difference between a good husband an' a bad 'un is a sensible wife. (*Clock*, 1928)

Mix equal pairts o' love, respect, an forbearance, an' work em up weel together wi' a fair sprinkling o' gooid temper, an ye'll find at it mak a capital cement at'll both stick weel an be weather-proof. (*Pudsey*, 1859)

A fat wife's a comfort, an' a fat husband's a gooid bed warmer. (*Clock*, 1937)

If ya mun get wed, pick a sweet apple. (*Clock*, 1934)

Flattery maks a man consated, bud if he wants ta knaw t'trewth abaht his sen let him goa hooam an ass his wife. (*Pudsey*, 1897)

Noa man can possess owt better than a good wife nor nowt war than a bad un. (*Pogmoor*, 1897)

T' wedding day is called a 'bridal' day, cos it offens puts a 'curb' o' fowk. (*Pudsey*, 1867)

A husband 'at can fettle a door-stun' is worth a thousand 'at can nobbut fettle ther' teeth. (*Clock*, 1937)

When yor wife compliments yo on yer wisdom it'll be time enuff to laff at other fowk's ignorance. (*Clock*, 1901)

When a lass declares shoo'll nivver wed for brass, it's a sign shoo hasn't been tempted. (*Clock*, 1901)

Adam wor luckier nor he knew. Eve nivver axt him if shoo wor th' only woman he'd ivver loved, an when they'd a bit ov a tiff ther wor noa mother-i-law ta interfere. Still he worn't satisfied. (*Clock*, 1908)

A chap who has booath a wife an a mother, an loves em booath, has his wark set ta keep th' band i' th' nick sometimes. (*Clock*, 1910)

If yo want to mak yor wife happy, tell her shoo maks yo soa. (*Clock*, 1910)

Nivver ax yor wife what shoo wed yo for, becoss that's been botherin her ivver sin shoo did it. (*Clock*, 1910)

A chap 'at's 'i love may laff at a locksmith, but when he's wed he'll tremel at th' seet ov a dressmakker. (*Clock*, 1910)

Some chaps calls ther sweethearts 'little duck' afooar they're wed, an 'big gooise' at after. (*Stubbs*, 1914)

It's a deal better ta live on luv wi a full stomack ner an empty un. We'd a gooise tut dinner wen I wor wed, an ther's been won abaght ivver sin, an that's me. (*Leeds Loiners*, 1878)

Spifkins iz unmarried, an sez: "Married men may hev better halves, but ahm jolly sure at t' batchelors hev better quarters." (*Pogmoor*, 1901)

When a wife knows her husband's waik point shoo knows her own strength. (*Clock*, 1906)

Fork leetnin – Wen t' wife's runnin ye roond t' hoose wid toastin fork. Varry warm – When t' wife's temper is say hayte wal ye'y can't bide i't hoose. Hoo ta avoid trubals ov matremuny – Nivver git wed. (*Nidderdill*, 1868)

It's a fooilish thing weddin a widder wi a lad bigger ner yorsen, cos he might thrash yo. (*Leeds Loiners*, 1875)

A chap 'at wants to keep quiet should wed a woman 'at likes to hear hersen tawk. (*Clock*, 1906)

Little munny, an' few frends, Git wed, an yer peeace ends. (*Nidderdill*, 1873)

Pitchin stumps:– Throwin t' three-legged stooil at t' husband's heead. Gettin t' furst run: – Rushin raand t' chairs ta keep aght at t' road on it. (*Leeds Loiners*, 1875)

A giglin sweetheart oft maks a natterin wife. (*Clock*, 1908)

When yo hear a man saay at hiz wife's grawn inta t' warst huzzy at ivver lived, sin they wor wed, shun him e nine cases aght ov ten – he'z made her what shoo iz. (*Leeds Loiners*, 1879)

Nivver mention lyin tuv a liar; steylin tuv a thief; er marriage tuv a widda! (*Stubbs*, 1909)

A chap at prizes his wife an despises his mother-i'-law is as big a fooil as him at's praad ov his brass but despises th' fowk 'at haddle it for him. (*Clock*, 1904)

A dangerous gospill – Flirts allus mak t' best wives! (*Stubbs*, 1909)

It's Harvest Home, when a wurkin man finds hiz wife it haase an hiz meals allus reddy when he cums ta em. It's Harvest Home, when a wurkin man izant allus grumald at, iverry time he goaze into hiz awn haase, abaght hiz feet bein mucky. (*Bramley*, 1893)

Aw dooant know which is th' warst to live wi – A woman at's too lazy to fettle up when it's needed or one at's allus fettlin whether it needs it or net. (*Clock*, 1905)

A dark claad – T' wife's faice when yo goa hoam at Setterday neet, aftor spendin yer waige at t' public-haase. (*Leeds Loiners*, 1874)

It's harvest home, when a wurkin man wauks hiz wife aght at times, not bit shoolders, but airm-e-airm. (*Bramley*, 1893)

T' best o' men is noa ewse at all when ther wives is widdas. (*Stubbs*, 1926)

Hev a wife at al allus see at thease buttons sew'd a yer shert-neck an risbans, wi' summat stronger then t' thread ov a arran-webb – if yo can. (*Bramley*, 1886)

Aw think if aw wanted to get wed, an awd mi pick ov a sarcastic woman an a simpleton, aw should choose th' latter. One may be varry spicy, but tother will prove moor substantial an satisfyin. Better is a puddin withaat spice, nor spice withaat a puddin. One may tempt an appetite but tother satisfies it. (*Clock*, 1896)

When yor naybor tells yo at it wor a varry bad job he ivver gat marrid, yo ma tak it for granted at hiz wife thinks soa too. (*Pogmoor*, 1892)

It's eeasier ta tackle a mad bull then ta faice a naggin wife. (*Pogmoor*, 1893)

It's a harder job ta un-tee a knot ner ta tee wun, espeshially if it happens ta be a matrimonial knot. (*Weyver's Awn*, 1896)

Menny a wumman hez wed a rich man at's turned aht a poor husband. (*Weyver's Awn*, 1882)

Aht o' t' fryin pan into t' fire – Contradictin yer wife, an then tryin to argue t' matter wi yer mother-e-law. (*Weyver's Awn*, 1884)

WORK AND LEISURE

*work – business – food – drink – Christmas
– fun – smoking – music – riddles*

WORK

A chap 'at yawns at his wark'll sleep at his leisure. (*Clock*, 1868)

Labour strikes does good i' wun way – they let men an maisters see hah dependent they are on wun another. (*Stubbs*, 1914)

When t' babby cries yo can bet it ails summat. When labour strikes breeks aht yo can bet the's a cause for it. (*Stubbs*, 1914)

Noa matter what sooart o' jobs ther is to do, a navvy can allus have his pick. (*Clock*, 1901)

A chap may consider his life a failure when he spends all his days workin for his clooas an his grub, an finds at his clooas nivver fit an his grub upsets his stummack. (*Clock*, 1904)

If some men worked for thersen like they work for other fowk, they'd sooin be pined to deeath. (*Clock*, 1924)

Ah'd raither see a man buy a seckful o' hens at a shillin apiece, an try to sell 'em at wun an a penny, ner see a man put a shillin on a hoss, hooapin to sam a dollar up. Wun works for his brass, an t' other tries to get brass bart workin. Ah'll back t' hen man to win i' t' long run! (*Stubbs*, 1914)

A chap nivver knows what he can do till he tries, an then he's sooary he fun it aght. (*Clock*, 1915)

He's easy put aht, is a boss, when he wants ter get shut on yer. (*Stubbs*, 1914)

Gooid luck is nobbut another name for hard wark. (*Clock*, 1912)

Uncomfortable feelins – Gettin hawf waay up a ladder an seein a labourer aboon yo comin daan two steps at wonce t' backards waay first. (*Leeds Loiners*, 1877)

Izz'nt it queer? – A spade brings a blister on a lad's hands vary near noa time, an a cricket bat nivver dus. (*Leeds Loiners*, 1882)

Th' biggest enemies to prosperity are th' workin men at willn't work. (*Clock*, 1895)

Readin a cookery book willn't fill a chap's belly, an hopin for better times willn't improve trade. Langin for a thing nobbut maks yo feel th' want on it, but workin for a thing generally gets it. (*Clock*, 1895)

One haar's hard wark will do moor to conquer misfortun nor a day's freeatin' abaat it. (*Clock*, 1899)

Genius an work will succeed annywhear. Genius withaat work maks a poor show; but wurk withaat genius will win respect an mak a happy hooam. (*Clock*, 1899)

Gurt tawkers are seldom gurt workers. (*Clock*, 1895)

A joiner is knawn by his chips, an a barber by his shavins. (*Weyver's Awn*, 1885)

Hard wurk hurts noa man, nor wuman nawther – it's nobbut idle foaks at think utherwise. (*Pogmoor*, 1898)

T' man at minds hiz oan bizness is nivver withaht a job on hand. (*Pogmoor*, 1898)

Whoa iz moar bizzy then him at hez t' leeast wark ta do. (*Pogmoor*, 1891)

Wun at warst things e life iz trustin ta summat ta turn up asteead a gooin ta wark ta turn summat up. (*Pogmoor*, 1891)

That man at duz t' moast wark hez t' least time ta tauk. (*Pogmoor*, 1891)

Ivvery man at minds hiz oan bizness hez a good steady job ta wark at. (*Pogmoor*, 1891)

It's a mistak ta think at bread an cheese al come ta yo except yo work fer it. (*Leeds Loiners*, 1876)

Thears a proverb at says, "Strike wal t' irons hoat," bud a gooid deal eft iron-workers al be strikin wal it gets coud, an then other countries al warm it for us. (*Pudsey*, 1867)

One o' t' world's troubles is 'at laziness is nivver fatal. It lasts a long while. An' t' wahr fowk hez it t' longer it lasts. A lazy chap nivver deed young. (*Stubbs*, 1925)

Noa idle man is honest, for ther's work for all, an' if one chap shirks his share somdy else has to do for two. (*Clock*, 1881)

A chap at works to win applause seldom works weel, but one 'at works weel allus wins applause. (*Clock*, 1896)

A chap 'at wants a job to do an' could like it to last, should write a book an' then hunt for a publisher. His labour will varry likely end with his life. (*Clock*, 1881)

A chap 'at warks for a fortun is moor likely to get it nor one 'at sits daan an' prays for it. (*Clock*, 1881)

When a chap's trade is to be a gentleman he's oft aght o' wark. (*Clock*, 1894)

A chap 'at works an has nowt to show for his labor mud just as weel laik. (*Clock*, 1890)

"Hit won a thee awn soize," az t' tack sed tut t' hammer. (*Toddles*, 1862)

Best table a wurkin man can hev ta calculate his waiges by, iz hiz awn table. (*Pogmoor*, 1848)

A prentis lad can get aght a bed sooiner on a Sunday mornin, then onny uther mornin it week beside. (*Pogmoor*, 1852)

It isn't work, it's worry 'at kills fowk. (*Clock*, 1913)

Ther's nooab'dy moor generous nor workin' men, for, besides helpin' one another to sup a lot o' ale, they keep monny a thaasand bookmakkers an' tipsters a deeal better off nor some on 'em keep thersens. (*Clock*, 1929)

It's better to fettle an' shaht abaht it, nor nivver to fettle at all. (*Clock*, 1937)

A chap 'at thinks moor ov his wage nor he does ov his wark nivver amaants to mich. (*Clock*, 1890)

Home time: Steeton Bobbin Mill in the late 1940s.

A nail weel clench't iz offance az good az a skrew. (*Pogmoor*, 1846)

A chap 'at's too thrang to think is too thrang to leearn. (*Clock*, 1890)

If Nature had intended yo never to work shoo wodn't hev gi'en yo a heead nor hands. Rest is nobbut sweet to them 'at's weary. (*Clock*, 1891)

Walk as briskly to yor wark as yo do to yor meals an yo'll sooin enjoy one as weel as t' other. (*Clock*, 1891)

A chap at maks his livin wi' diggin is a fooil if he sneers at his spade. (*Clock*, 1876)

When a chap's done his wark he owes noa thanks for his wages. (*Clock*, 1876)

When yo' want to cut a plank, a poor saw's better nur t' best jack-plane. (*Yorkshireman*, 1887)

Them at tak a pride i' ther wark are seldom dissatisfied wi' ther wage. (*Clock*, 1876)

A tender business – Bein' a stoker on a locomotive. (*Yorkshireman*, 1878)

If a chap 'at's nowhear else to goa wod goa to his wark he'd varry likely find summat to do. (*Clock*, 1878)

A lazy man's hands is sooin blistered. (*Yorkshireman*, 1887)

That chap's th' best worker at can show th' mooast for his labour. (*Clock*, 1880)

Show me a man 'at's allus in a hurry an' awl show yo' one 'at gets throo varry little wark. (*Clock*, 1880)

Toad stooils – Stooils at idle fowk sit on all t' daay atstead ov workin. (*Leeds Loiners*, 1873)

Warkin an duin nowt – Tryin ta mak fowks paay at hev nowt ta paay wi. (*Leeds Loiners*, 1878)

It's all sham – When onnyboddy tells yo at ther soa fond of wark wal they wodd'nt bi withaght it iv they'd chonce. (*Leeds Loiners*, 1882)

Sum foaks al labour throo gettin up in a mornin, ta goin ta bed at neet; may, marry, all t' days a ther life; an when they cum ta reckon up, they're not a bit better off then wot they wor when they furst started. (*Pogmoor*, 1873)

Lost time – When a man ligs dahn hiz tooils ta tay up hiz pipe, an sucks it i some quiat corner where he thinks et he'll nawther be smelt or seen. (*Pogmoor*, 1865)

Lost time – Wi a lot a warkmen at macks a pracktis a lizzanin a full quarter ov an haar before giein ovver time, for fear at if they drave a nail or struck a chizzel they woddant be able ta hear t' clock strike. (*Pogmoor*, 1865)

Idlers – Them at lets t' heat at day get ovver nearly, an then begins ta be all hurry an bussal ta get ther hahce wark dun. (*Pogmoor*, 1867)

Doin nowt is hard wark. (*Clock*, 1876)

If some chaps could handle th' tooils 'at they wark wi' hawf as clivver as they can handle a pack o' cards they'd be better craftsmen nor what they are. (*Clock*, 1918)

Nivver try to calkilate hah mich brass it'll tak' to keep yo to th' end of yor life, an' then give ower workin' when ye think yo've gotten enough; for yo might mak a wrang calkilation, an' if yo didn't dee when yor brass wor done it ud be awk'ard wouldn't it. Especially if yo wor ower owd to start warkin' ageean. (*Clock*, 1918)

BUSINESS

It's an owd saayin, at them at paay befoarhand an them at nivver paay arr t'wurst payers ov all. But Jim Swift, t' grocer, sez 'at them at nother paay ner let it aloan arr warst at hez met wi. (*Leeds Loiners*, 1877)

Early twentieth-century Yorkshire mill office.

A light business – Lucifer match sellin'. (*Yorkshireman*, 1878)

If noa tradesman wor alaad to tell a lie unless he paid a license, it wodn't tak long to clear off th' national debt. (*Clock*, 1880)

Cheytin' isn't stealin', it's business. (*Yorkshireman*, 1887)

Hah ta keep yor credit good – Goa wi t' brass e yor hand an then yo'll du it. (*Leeds Loiners*, 1882)

It's impossible ta borrow sixpence from a chap at hez only a three-penny bit. (*Leeds Loiners*, 1882)

T' most impossible thing of all is to paay an accant when yo have noa brass to du it wi. (*Leeds Loiners*, 1882)

FOOD

To do a mutton chop reight, it sude be turn'd three times –
twice up at gridiron an wunce in ta t' maath. (*Pogmoor*, 1874)

A contented mind is a continual feeast, t' owd proverb says.
But I nivver met wi a contented mind where ther wor nowt ta
eit. It's ma opinion at bread an butter hez a deal ta du wi a
contented mind, after all. (*Leeds Loiners*, 1876)

Whativver's worth dooin is worth dooin weel, except beef.
(*Clock*, 1915)

Ah've set mah darn in a plush chair wi' elbow rests in a big
hotel an etten a ten course dinner off o' silver plates; an ah've
etten a pennorth of fried fish an a hawporth o' chips off ov a
paper on mi way hooam throo mi wark – an ah've injoyed 'em
booath. Bud for preference – gi' ma t' ten course dinner.
(*Stubbs*, 1914)

"What's done can't be undone," as t' sarvant lass said to t'
hard-boiled eggs. (*Yorkshireman*, 1888)

A door plate we a man's name on iz a varry good thing, but a
table plate we a man's dinner on it iz a good deal better.
(*Pogmoor*, 1853)

Did yo ivver naw a peice a bread an butter fall ontut floor, but
wot it let t' shiney side daanads? (*Pogmoor*, 1853)

It's quite true that what'll feed one it'll feed two – but the's
nobbut hawf a meeal apiece! (*Stubbs*, 1914)

DRINK

A chap 'at knows as mich when he's sober as he thinks he knows when he's druffen is a wise man. (*Clock*, 1890)

Drink's like a sacktackle: it lifts a chap up to start wi', but it generally brings him daan at th' finish. (*Clock*, 1891)

It's all sham – When a Good Templar drinks brandy an watter, an says at t' doctor's ordered it for his weak nerves. (*Leeds Loiners*, 1882)

A woman at langs for a steady job at'll last her life, should wed a drukken chap an try to reform him. (*Clock*, 1915)

A beast ov burden – A chap tryin ta tak six pints ov beer hoam at he'z supped atstead ov havin it bottled. (*Leeds Loiners*, 1873)

Never let yor spirits daan iz a bit ov gud advice, but it woddn't du fer t' publicans. (*Leeds Loiners*, 1875)

Ta dreeam at yor a donkey maay cum trew iv yo question yersen a bit aftur yo get up, when yo've been at a free-an-eazy t' neet afoar. (*Leeds Loiners*, 1876)

Quite useless: Trying ta mak t' wife believe at yo can goa tut public ivvery neet et week an spend nowt. (*Leeds Loiners*, 1882)

Rube Hopten sez there really is nobbud two propper times to drink owd Tom; an wun is, when ye've hed solty meyt to t' dinner an t' other, when ye hevvnt! (*Pudsey*, 1875)

Don't think at drinkin's a crime becos yo happen to be a teetotaller yorsen. (*Chimney Nook*, 1909)

A sign at spirit moves yo – Tryin ta wind yer watch up wi t' latch key aftur bein aght tul a champane supper. (*Leeds Loiners*, 1875)

T' sayin' is: "Ya may tak' a horse ta t' watter bud ya can't mak' it sup." An', like a horse, ya can easy lead a man to a pub, bud, unlike a horse, it's varry seldom ye've ta as' him twice ta hev a drink. (*Stubbs*, 1925)

Drunkenness is a horse at's awlus flingin its rider off. Fooils affen ride it bareback, wehaht a bridle. (*Pudsey*, 1867)

When a chap's drukkenest he awlus tawks mooast abaht his sowberness an respectability. (*Pudsey*, 1897)

A man at's fonder ov ale ner he is ov his wife and childer owt ta be kept a few munth at t' expense o' t' Government. (*Pudsey*, 1897)

I've heeard teetotallers say at ale wor a deadly poison, but if it's taen e moderation a chap can liv ta be a gud owd age afooar it begins ta tak effect. (*Pudsey*, 1897)

A free lunch at a public hahse it's deearest meal i' t' day. (*Stubbs*, 1910)

If ale wor free an' wotter deear there'd be no teetotallers. (*Clock*, 1934)

A chap wi a red nooas will nivver shine as a temperance advocate. (*Clock*, 1908)

When aw hear a chap say "it's my wife 'at drives me to drink," aw connot help thinkin he wor willin to be driven. (*Clock*, 1908)

A chap 'at's allus drinkin' owt to be a hot-house plant. Then he'd allus hev his nooase in a pot. (*Clock*, 1929)

It's fair cappin' what queear excuses some chaps hev for suppin' ale. Owd Spink used to get drunk ivvery time he gat a chonce, an' he allus sed he did it as a warnin' to his kids to leeave ale alooan. (*Clock*, 1929)

Just becoss a man doesn't drink, doesn't smook, doesn't hoss-race, card-laik, pigeon fly, dog-run, rabbit-kill, chew bacca – just becoss of that it doesn't prove 'at he's onny better ner a man 'at does. Even a drunkard can be a straightforrad chap. He's his awn enemy; an' he gooas straight fer hissen. (*Stubbs*, 1914)

A gill o' ale at supper time – It may comfort a man's stummack, an nourish his limbs; but if a man doesn't knaw when to let it alooan, he's better bart. (*Stubbs*, 1914)

If a flock o' geese sees one o' t' lot drink, they follah t' same way. Hev ya nivver seen geese e public-hahses? (*Pudsey*, 1867)

"Come where my Love lies dreaming," as th' chap sed to th' bobby, when he fetched him to lock his druffen wife up. (*Beacon*, 1873)

Sum fowks can pass a joke a deal easier ner they can pass a public-hahse. (*Pudsey*, 1867)

T' difference between a tight winda an a man 'at's tight is 'at yo can't get wun ta oppen an yo can't get t'uther ta shut up. (*Weyver's Awn*, 1894)

Between-the-wars barrel rolling competition at Keighley Market.

'Spud Mick' – a 1930s hot-potato seller.

Temperance is a gooid principle ta stick to, even in teetotalism. (*Clock*, 1897)

Wun swalla duzzn't mak a spring, but ah've seen a good menny swallas empty a chap's pockits. (*Pogmoor*, 1893)

Moar foaks ar drahnded e t' wine cup then e t' ocean. (*Pogmoor*, 1893)

It is sed 'at thare's nobbud wun woman e three 'at's a good judge of the harmony of kullers. When ye see a pale-faced woman walkin wi' a rednosed man ye may set it dahn at shoo's wun o' t' poor judges. (*Weyver's Awn*, 1882)

It's reight, at a womman sud hev a little drop a summat it cubbard reddy ta goa too allas, when it iz at shoo feels faint an low, az they offance do. (*Pogmoor*, 1867)

A bit ov a joake thrawn in ta t' cumpany a little minds, iz summat like small beer, it's sooin turnd saar. (*Pogmoor*, 1867)

Aw nivver wor a chap 'at wor fond o' cowd watter misen, unless it wor mixed wi' a drop o' whiskey. (*Clock*, 1888)

Low cunnin – Goin inta t' cellar wi a pretence ta see if t' cat's there, when at t' same time it's for nowt else but goin streight ta t' ale barril. (*Pogmoor*, 1863)

They tawk, do sum foaks, abaht crackin a bottle, when at same time it warry offance happens at t' bottle cracks them. (*Pogmoor*, 1873)

Foaks at macks a pracktis a goin to a sartan publick haace hez a chair there at they call thare's; when at same time it iz at they goa hoame they hevant a chair but wot's somadiz elses. (*Pogmoor*, 1873)

Chaps at's too fond o' ale are ommost sewer to ail summat. (*Weyver's Awn*, 1879)

Drinkin to draand sorrow is like cuttin off yor tooa to cure a corn. (*Clock*, 1893)

A chap 'at can't tak' one glass withaat wantin' moor, owtn't to tak' onny; an' him 'at can tak' one glass an' not want moor, had better let it alooan. (*Clock*, 1885)

It's a waste a time for a chap to praich temperance wol he's tryin to put on his hat wi' a shoe-horn. (*Clock*, 1893)

A quairt o' strong drink has done moor towards sendin monny a man to destruction, ner what a scoor ov praichers have done for his salvation. (*Clock*, 1893)

T' latest unplezzantness – Finding t' kei-hoil at midneet. (*Pogmoor*, 1909)

A druckan man nivver wants a lantern. (*Pogmoor*, 1844)

A drunken man al get sober; but in a fooil theaze noa change. (*Pogmoor*, 1844)

Drinkin' to draand sorrow is like borrowin' brass to get aght o' debt. (*Clock*, 1885)

It's better for a womman ta hev a long milk score, then hur huzband a ale shot a onny length; but boath ar bad things. Wed foaks think a this. (*Pogmoor*, 1845)

Wha iz a teetotul pledge loike an umbereller? Becoz it keeps yo dri. (*Toddles*, 1862)

Hah ta presarve Allslop's ale thro goin sower e a thunner storm – Drink it all off befoar t' leetnin begins. (*Toddles*, 1862)

It's sed, when theaze a red sky, it's a sign a wind. But when theaze a red noase it's a sign a wet. (*Pogmoor*, 1846)

It's not fair – When a man or womman leaves a company, for them ats left ta begin ta backbite an tawk abaght em. (*Pogmoor*, 1847)

It's a suar sign, wen a man tries to oppen t' back-doar wi hiz pipe asteead at latch-key, at hiz been aght it wet. (*Toddles*, 1862)

Thear wor a womman wed a teetoataller, an shoo left him, for shoo sed it wor like sleepin we a craw bar he wor so cowd. (*Pogmoor*, 1848)

CHRISTMAS

A chap at gives Kursmis boxes to his friends befoor he pays his debts, may be generous but he isn't just. (*Clock*, 1898)

A Kersmas puddin made bi a yung wumman at isn't reyt up to it can keep a chap wakken longer after he gets to bed ner his gilty thowts. (*Weyver's Awn*, 1895)

Why is cowd weather like a Kersmas box? – Cos it's moastly luked for at this time o't year. (*Pudsey*, 1859)

It's a proper Kersmas box to give onny o' yer awn barns 'at goes aht o' beggin at Kersmas time a gooid box o' t' ear. (*Saunterer*, 1877)

Christmas at the Co-op, about 1920.

It's a proper Kersmas box ta fassen t' Kersmas ale an t' whiskey up fro a chap 'at hezzant sense ta give ovver suppin when he's hed eniff. (*Saunterer*, 1877)

It's a proper Kersmas box ta send a corksrew to a teetotaller wi directions hah to use it. (*Saunterer*, 1877)

A Merry Kirsmas to yo, saands vary nice, an lewks pretty on a card sent be post. But when yo find it on a ticket, teed tul a Turkey's leg, it's stunning. (*Leeds Loiners*, 1882)

FUN

A reyt hearty laff is ta wer daily life what a spooinful o' sewgar is tuv a cup o' tea. (*Saunterer*, 1880)

A chap 'at has noa sense ov humour despises a chap 'at cracks jooaks. (*Clock*, 1935)

A practical joke is like a kyan pepper pill wi' a sugar coatin' – it may seem to be easily swallowed, but it's apt to leeav a burnin' sensation behind. (*Clock*, 1881)

When a chap tries to be funny an can't be funny he is funny to them at can see th' fun. (*Clock*, 1895)

Lafter iz wun at priviliges a reeason. (*Pogmoor*, 1891)

The foremost nations have allus been them 'at knaw ha to laff. (*Clock*, 1916)

SMOKING

A young chap will generally spend moor pains on selectin a cigar, at willn't last him hawf an haar, nor i' choosin a wife at may last him hawf a century. (*Clock*, 1904)

Bad comp'ny iz like bacca smoak – yo can't be long amang it withaht being tainted wi it. (*Pogmoor*, 1897)

A red noas-end willn't leet a pipe. (*Yorkshireman*, 1887)

Why iz a finished cigar like a burnt city? Cos it's been reduced ta ashes e fire an smoke. (*Leeds Loiners*, 1877)

Matchless misery – Hevvin yer pipe full o' bacca an nowt to leet it wi. (*Pudsey*, 1876)

Short pipes maks long smokes. (*Saunterer*, 1880)

Likely ta find it hoat – Sittin yor sen daan ta have a quiet smoke, wi yor coit laps e a wasp nest. (*Leeds Loiners*, 1879)

Things at want licking inta shape: Lads at smoke short pipes an goa aght gambling on a Sundaay ... Young swells at puff penny cigars an insult ther betters. (*Leeds Loiners*, 1882)

If sum a t' young uns ad use az much time e larnin ta prosper, az they do e larnin ta smook, they'd get on. (*Pogmoor*, 1909)

It's t' duty ov a father when he sees hiz son at izzant i hiz teens wi a pipe or a cigar i hiz maath, ta gie him a good rattle at side ov hiz cannister. (*Pogmoor*, 1872)

A smookin womman iz fonder at ale-barril then t' wesh-tub. (*Pogmoor*, 1845)

MUSIC

Ther's monny a chap plays th' second fiddle at doesn't know a note o' mewsic. (*Clock*, 1900)

All wun's life ad be mewsic if we nobbut knew hah ta harp on t' reight string, or touch t' reight nooats. (*Pogmoor*, 1909)

A mewsical nooat at shows good breeding – B natural. (*Pogmoor*, 1909)

A reight good sort o' wood for makkin' pianos on – Broadwood. (*Yorkshireman*, 1885)

A sound business – Organ grindin'. (*Yorkshireman*, 1878)

RIDDLES

When iz Leeds Taan Hall clock like a lot ov dissatisfied wurkmen? – When it's just goin ta strike. (*Leeds Loiners*, 1874)

Why is a wesherwuman like a sailor? Becos sha spreeads her sheets, crosses the line, an gooas thru pole ta pole. (*Pogmoor*, 1902)

Why iz a umerella like a hot cross bun? Becos it's nivver seen after it's lent. (*Pogmoor*, 1902)

Why should jet negligees be discarded? – Becoss noa daycent lass shodd iver let a blackguard embrace her. (*Clock*, 1870)

When iz hawf a brick a whole tile? – When it's thrawn at a winder. Hah do I mak' that aht? Why, 'cos it's a projec-tile, then, to be sewer. (*Yorkshireman*, 1885)

What's th' difference between a watch key an' a chap at's troubled wi' asthma? – One winds th' watch an' t' other watches th' wind. (*Clock*, 1867)

I' what part o' Yorksher does moast railway trains run? – On t' railways, leather-heead. Ah thowt yo' could ha' guessed that. (*Yorkshireman*, 1887)

Why is t' sun like a gooid loaf? 'Cos it's leet when it's risen. (*Pudsey*, 1876)

What wod a bear want in a draper's shop? Muzlin, fer sewer. (*Pudsey*, 1879)

When is man no better than a monkey? When he thinks so. (*Saunterer*, 1881)

Silsden Brass Band in the early 1900s.

Keighley Wiffum Waffum Wuffum Comic Band, about 1905.

Why iz a Bairnsla Ocshaneer varry effektiv wi hiz fists? Bekos he sumtimes knocks a whooal raw a hahses dahn at a blaw. (*Pogmoor*, 1897)

When iz a man like a teliskooap? When sumb'dy draws him aht, sees throo him, an finally shuts him up. (*Pogmoor*, 1897)

Why ar sum foaks like a ball a band? Becos ther sooa much lapp'd up e thersens. (*Pogmoor*, 1897)

Why ar bankrupts moor ta be pitied than idiots? Becos bankrupts ar brokken, idiots ar nobbut cracked. (*Pogmoor*, 1897)

Why iz a clock varry humble? Becos it keeps its hands afoor its face, an iz awlus runnin itsen dahn. (*Pogmoor*, 1897)

Why iz a lad at cannot do hiz sum like a viper? Becos he's a bad adder. (*Pogmoor*, 1897)

"What is moor changable nor a woman?" "Two wimen." (*Clock*, 1910)

A fishing smack – Kissing yor sweetheart on an angling excursion. (*Leeds Loiners*, 1882)

A cabbage iz like a book, an so it iz when it's red. (*Pogmoor*, 1848)

Wot letter iz it at tells a man not to scould hiz wife? Wha, let her B. (*Pogmoor*, 1872)

Calm – An ill-tempered wumman wi a sore tongue. (*Pogmoor*, 1868)

Why iz ther soa mich honner amang theeves? – Becoz they jennerally hang tagetthur. (*Toddles*, 1862)

Wha izn't a lad loike a nice bonnet? – Becoz won becums a wumman, and tother duzn't. (*Toddles*, 1862)

Why wor Bairnsla richer be three-an-four pence t' last year at this time? Becos it hed forty new 'coppers'. (*Pogmoor*, 1898)

Why wor t' furst day a Adam's life t' longest? Becos it hed noa Eve. (*Pogmoor*, 1898)

What country duz a Elefant's head represent? – Wha, Tuskany. (*Pogmoor*, 1848)

A painful bore – Tryin ta draw an owd tooith aght wi t' end ov a gimlet. (*Leeds Loiners*, 1873)

Why is a donkey half-way through a fence like a penny-piece? – Becos its heead's at wun side an its tail's on t' other. (*Weyver's Awn*, 1890)

Why is t' Chresmas pudding like a daily paper? – It's a currant affair. (*Pogmoor*, 1910)

If wun little boy maks a lad, hah monny duz it tak to mak a ladder? I don't knaw that, but I dew knaw 'at two can mak a 'racquet'. (*Weyver's Awn*, 1889)

When is a wed woman like a repaired pump? – When shoo's getten a fresh sucker. (*Clock*, 1870)

GOOD TIMES, BAD TIMES

success – failure – wealth – money –
poverty – lending – borrowing – illness

SUCCESS AND FAILURE

If a chap's success has cost him his conscience, it wod ha paid him better to ha made a failure. (*Clock*, 1895)

It's seldom wise to tell what yo intend to do, for if yo succeed, th' edge has been taen off fowk's appreciation, an if yo fail, they sneer an say, "Aw know ha it ud be." (*Clock*, 1896)

A man 'at wants to get on e life sud mak an oppenin for hissen, if theer's noabdy to mak wun for him. A deeal o' chaps fail to get on becos they're allus lewkin for an oppenin, asteead o' makkin wun. (*Weyver's Awn*, 1881)

Menny a man at succeeds e bisness is a failyer as a man. (*Weyver's Awn*, 1881)

They say pride goes befooare a fall. But that isn't to say if a chap's humble he's sewer to rise. (*Clock*, 1922)

See at ivvry failure is turned inta a stepping stooan ta success. (*Pogmoor*, 1910)

See at when t' key ov the sitewation iz put inta yer hands at yur not afeard ta turn it. (*Pogmoor*, 1910)

The West Riding industrial hamlet of Goose Eye.

Success meeans leeaving az little az posable ta chonce. (*Pogmoor*, 1903)

When a chap booasts he's made a fortun bi his pluck, he nivver says who he plucks. (*Clock*, 1915)

When a chap's sewer ov success he's dangerously near failure. (*Clock*, 1912)

It's a pity to see a man darn bi his awn fault; bud it's a bigger pity to see him darn bi sumdy else's! (*Stubbs*, 1914)

When a chap's gooin to th' devil he's nivver short o' compny. (*Clock*, 1910)

Whenivver ya feel dahn i' t' mahth think o' Jonah. He cum up all reight. (*Clock*, 1924)

When a chap causes other fowk to get envious, it's a sewer sign 'at he's makkin sum headway i' th' world. (*Chimney Nook*, 1910)

Th' chap 'ats lucky eniff to open th' door to success can allus depend on hevin plenty at his heels to rush in wi him, an mak a grab for th' spoil. (*Chimney Nook*, 1909)

Success is sometimes nearly as dangerous as failure. Success hez spoiled a lot o' fowk Ah knaw. They've hed swelled-heead ivver after. (*Stubbs*, 1925)

Success doesn't depend so mich on what yo can dew, as what yo mak fowk believe yo can dew. (*Chimney Nook*, 1911)

Most fowk fail becos ther allus lewkin aght for chonces, asteead ov makkin 'em. (*Chimney Nook*, 1909)

When wunce a fella begins ta slide dahn t' hill he finds it ready greeazed ta help him dahn. (*Pogmoor*, 1901)

When a chap's anxious to sell his experience for less nor it's cost him he's takkin a short cut to bankruptcy. (*Clock*, 1908)

If a tree dusent blossom e spring, it's likely yo'll be disappointed e expectin fruit i't latter pairt o't year. So it is wi' man. (*Pudsey*, 1859)

WEALTH

They say wealth gi'es men power. But is it a man's wealth 'at maks him powerful, or is it other men's poverty? Ah can't see hah a man 'at's rich would hev mich power if other men worn't poor. A seven-foot man wouldn't get mich advantage in a crahd if ivverybody else i' th' crahd stood seven feet an' all. (*Clock*, 1927)

Hevin a steady income maks monny a man unsteady. (*Clock*, 1910)

Hah to mak' 'Tin'. Ye mun hev a' iron constitution, steel nerves, brass cheeks, an' a silver tongue. Bring 'em all into play, an' ye'll sooin finnd yer pockets weel-lined wi' 'tin'. (*Yorkshireman*, 1887)

A chap wi' brass 'at cannot find what he wants, is as badly off as one at wants what he hasn't brass to get. (*Clock*, 1891)

A rich man – A chap 'at's gettan what he wants, whether it's brass, a woman, or a dog. (*Yorkshireman*, 1894)

A rich man can wear a decanter stopper in his shirt front, an' all th' taan will be dazzled wi' his diamond, but pin a diamond on a poor chap's shirt an' fowk'll laff to see him spooartin' a bit o' glass. (*Clock*, 1879)

Somebody – Him wi' brass. (*Yorkshireman*, 1894)

Don't put yor hand e yor pocket ivvery time yor ax'd, exceptin it's ta drop summat in, it feels better when ther's a lot together. (*Leeds Loiners*, 1879)

Him 'at shames to be poor ull be vain when he's rich. (*Clock*, 1868)

Gold e this world covers abaht as monny sins as charity does i't next. (*Pudsey*, 1859)

Cattle fair, Keighley, about 1900.

Junction sheep fair, Crosshills, about 1900.

When ah see a man sellin soul an body to get rich, ah think abart t' lad at wor runnin after a buzzard. He nivver tewk his e'e off o' t' buzzard, till he fell darn a delf-hoil an brak his neck. Men whose ooanli object in life is to mak money, oft meet wi' a similar fate. (*Stubbs*, 1914)

A chap 'at doesn't care for brass may be gooin to th' dogs, – but a chap 'at cares for nowt but brass he's getten thear. (*Clock*, 1889)

Nivver try to get howd of a lot o' brass in a hurry; gettin it'll mak' yo miserable, an' when yo've gotton it yo weeant be happy. (*Clock*, 1924)

It doesn't matter hah rich a man is, he can't affooard to live an immoral life. Noa amahnt o' brass can save a man throo moral bancrupcy. (*Clock*, 1928)

Noa man ivver deed aght o' debt; an him 'at leeaves th' mooast, may owe th' mooast. Gold cannot pay for neglected duties. (*Clock*, 1901)

If we did but know ha little enjoyment some fowk get aght o' great riches, we should be content to be poor. (*Clock*, 1915)

Thers nubdy feels as poor as a rich man who wants what he cannot buy. (*Clock*, 1897)

Them at's born e clover don't knaw what it is ta nep a bare pasture. (*Weyver's Awn*, 1881)

Monny a man loises his health tryin' ta get wealthy an' then loises his wealth tryin' ta get healthy. (*Stubbs*, 1926)

T' fact 'at wealth doesn't allus bring 'appiness doesn't cause monny fowk ta want ta be poor. (*Stubbs*, 1926)

Branes an riches mak a man a king. Branes withaht riches, an he'z a slave. Riches withaht branes, an he'z a fooil. (*Pogmoor*, 1891)

Powder's like munney, awful hard ta howd when it begins to goa. (*Pogmoor*, 1891)

MONEY

Here's two men. Won on 'em hez a thaasand pahnd i' t' benk, awl his awn. T' other hez a shillin in his pocket boddem, an it's awl he's worth. Him wi' t' shillin feels rich, while t' other man feels pooar. Hah is it? Wait till yo've been pooar, an' then yo'll knaw! (*Stubbs*, 1914)

Tears can be dried gen'rally much eeasier wi a bank nooat than a han'kecher. (*Pogmoor*, 1909)

If a chap finds a bad shillin' amang his change, ther's nowt consoles him as mich as to meet wi' another chap 'at's getten a bad hawf-craan. (*Clock*, 1885)

When we say, "Money is the root of all evil," we meean other fowk's money, net awrs. (*Clock*, 1894)

It's hard wark to prevent riches slippin away but it's a tougher job to shake off debt. (*Clock*, 1894)

Payin debts wi borrad brass, iz like tryin ta fill a watter barril wi booath ends missin. (*Pogmoor*, 1909)

All t' wurld's a stage, an the betta t' performance iz the moor brass al be ta'en at t' door. (*Pogmoor*, 1909)

"It's bettur ta be born lucky ner rich," I've often heeard fowk saay. But, nah, ma opinion iz at it's bettur ta be born boath, an hav a gud constitusion, an a clear conshunce ta finish off wi. (*Toddles*, 1872)

A miser's first rule is addition, an t' first rule o' them at he leaves his brass tul is generally division. (*Weyver's Awn*, 1891)

Ye'll nivver mak yer fortun if ye've a bigger hoyl at boddom o' yer purse ner ye hev at top. (*Weyver's Awn*, 1878)

Nivver get a big joint throo t' butcher at yo can't paay for, wen yo've brass enuff ta paay for a little un at al du az weel. (*Toddles*, 1863)

A honest-arn'd penny iz more valuable then an ill-gotten craan. (*Pogmoor*, 1844)

Brass 'at's hardly haddled should be wisely spent. (*Clock*, 1885)

Ah knaw a workin chap 'at wor all wrang becoss he had to pay th' incoom tax – thears scooars 'at wod be nobbut too glad if they'd wage enuff to be taxed. (*Clock*, 1886)

If rich fowk knew ha poor fowk live, an poor fowk knew ha rich fowk work an worry, ther'd be less envy an moor sympathy between em. (*Clock*, 1892)

Tak care ot pennies an they'll goa mahldy. (*Pogmoor*, 1881)

Nivver giv a button top at a collekshun, unless yo've tride t' taan raand fur a thrippeny bit withaght gettin wun. Ivver sitch a small peece a sterlin coin's wurth a deeal a brass at onny time. (*Toddles*, 1864)

POVERTY

Ah wonder hah t' King'd lewk wi' a pint-pot full o' common ale i' wun hand an a pennorth o' black puddin i' t' other! (*Stubbs*, 1909)

It's easy to cry aht when yo've a pocket-full. Fowk 'at's reeally pooar keeps it to thersen. (*Stubbs*, 1909)

May wun nivver naw wot want iz, nobbat wi a full pockit. (*Pogmoor*, 1863)

Nivver mind abaht yer britches bein a bit aht at knees, soa long as noabdy can find a hoyle i yer coit. (*Pogmoor*, 1863)

Them at throws away a hard crust may live long enough to find hard times. (*Pogmoor*, 1863)

T' hardest-saved brass is ta pay back what you've borrowed. (*Yorkshireman*, 1894)

A chap 'at gets inta debt for things he doesn't need, an' then borrows brass to pay for 'em, 'll allus be i' poverty. He mud as weel cut his throit to save hissen throo chooakin'. (*Clock*, 1926)

They say at poverty's no crime, bud fer all that it cannot be denied at a man at's baht brass is short o' principal. (*Pudsey*, 1868)

Queuing for potatoes in Keighley, 1917.

Sometimes poverty may be a blessin in disguise, but them who have experienced it are apt to think th' blessin isn't worth th' cost o' th' disguise. (*Clock*, 1915)

When a man advertises 'at he weant be responsible for his wife's debts, ye may tak' it for granted 'at he's flayed of his awn. (*Yorkshireman*, 1887)

Poverty is sweeter, if honest, nor unjust success. (*Clock*, 1915)

Noa man need fear poverty 'at can bring his mind daan to his meeans. (*Clock*, 1880)

This iz what I call turnin point e life, az t' widder sed when shoo bowt a mangle ta try an get hur livin by. (*Leeds Loiners*, 1876)

When a hard up swell tawks abaght t' castle at hiz granfayther used ta live in, yo can guess it wor in a airy situation somewhere. (*Leeds Loiners*, 1882)

It's better ta be born lucky ner rich, I've herd em saay. But I saay it's lucky ta be born rich. I wish at it ad been ma lot; I sud have ad a deal better first suit, e ma opinion, an a lump moar ta put it pockets tu. That's t' sooart ov luck fer me. (*Leeds Loiners*, 1876)

Fowk nivver knaw ha' useful brass is until ther wiaght a penny i' ther pocket. (*Chimney Nook*, 1910)

It's a gurt consolation ta think at happiness is a thing at can't be bowt wi brass, or t' pooar fowk wod get a varry lean share. (*Pudsey*, 1897)

Thrift is a grand thing, bud bi t' time a workin man hes saved eniff ta retire on he's generally wun leg in t' grave. (*Pudsey*, 1897)

If ye see onnyboddy starving, and hed nowt ta eit for two or three days, doan't offer 'em a receat for makkin turtle soop. (*Pudsey*, 1871)

"Better is an handful with quietness than both the hands full with travail and vexation of spirit." – Ecclesiastes iv, 6. I' plain Yorksher – "Little cattle, little care!" (*Stubbs*, 1909)

A fooil 'at's worth ten thaasand paand will be lissened to wi moor respect nor a philosifer 'at's aght o' collar. (*Clock*, 1908)

When poverty knocks at t' door, love flies aht o' t' winder. It's a pooar sooart o' love, for awl that! (*Stubbs*, 1914)

Them 'at hez plenty o' brass, they dooan't fling it away. If they flang it away they woddent hev it! It's them 'at hez nowt 'at's careless on it. (*Stubbs*, 1914)

Poverty is a crime, bud wun at few fowk wod willingly bi guilty on. (*Weyver's Awn*, 1900)

A chap may be aght ov a shop, – an aght o' brass, – an aght o' credit, an still get pooled throo; but if he's aght at th' elbows – God help him. (*Clock*, 1897)

Laziness goas soa slaw at poverty sooin ovvertaks it. (*Pogmoor*, 1891)

"Laff an grow fat" is all varry weel, but when yer livvin on kippers, laffin dussn't improve yer weight mich. (*Weyver's Awn*, 1896)

If a poor man wants ta mack sixpance goa a long way, he mun put it intat muzzle ov a loaded gun, an fire it off. (*Pogmoor*, 1845).

If ivver you want to borrow a pahnd or two offen a nabour dooan't tell him yo're hard up. (*Clock*, 1927)

Do'nt paay a bad sixpence tul an owd widow, cos it might give her more trubble nor t' sixpence iz worth. (*Leeds Loiners*, 1879)

Man wants but little here below, an sumhah he mooastly gets less. (*Pogmoor*, 1909)

Ther's nowt a chap at owes brass dreads more nor bein' fun ahrt. Unless it's bein' fun in. (*Clock*, 1937)

LENDING AND BORROWING

They say a horse can remember for ten years. A man at borrows five bob ov a frend sumtimes forgets the transaction in ten days. (*Weyver's Awn*, 1880)

Nivver lend half a crown to a forgetful man, for he's sewer to leave it a loan. (*Weyver's Awn*, 1881)

Charity – Lendin' ther Sunday cloas ta a chap ta get wed in, an' goin' tut chapel in ther checker-smock an' clogs. (*Toddles*, 1872)

If yo want ta naw wot disappointment is, ax a relashan ta lend yo a trifle a brass. (*Pogmoor*, 1849)

It's a mistack ta think at yo'll get paid e full when yo lend yer money aght e installments. (*Leeds Loiners*, 1876)

When a man falls i' love wi' me at th' furst seet, aw button up mi pockets. (*Clock*, 1881)

Nivver lend what yo' cannot afford to loise. (*Clock*, 1885)

A man may find it easy to give moor nor he can affoord, but he'll find it hard to have to goa beggin. (*Clock*, 1893)

When a chap's liberal wi' advice he's oft niggardly wi' his brass. (*Clock*, 1893)

If yo want ta go to a nabor's hause, wethaght bein invited ta sit daan, ax em az sooin az yo get in ta lend yo a trifle a brass. (*Pogmoor*, 1853)

A chap who had leefer borrow a shillin nor haddle one willn't be pestered wi havin too monny friends. (*Clock*, 1898)

Nivver borra nowt at ye woddn't like ta lend, an yo'll not get i' mich debt. (*Weyver's Awn*, 1896)

If yo see a chap at's hard up a shillin'll goa a lot farther nor a mahthful ov consolashon. (*Weyver's Awn*, 1896)

Yo can awlus rely on keepin yer frends, if yo dooan't ass em ta lend yo owt. (*Weyver's Awn*, 1896)

Wen ye hear a chap breggin abaht his means, tell him at once at ye've left yer purse on t' mengle aside yer clogs, cos it's a thaasand ta wun he wants ta borrow summat wol he gets t' next remittance. (*Weyver's Awn*, 1885)

Whenivver a chap wi a long, solemn face cums up to me an addresses me politely as mister, I tell him at wunce at I've a big bill ta pay t' next day, an it's t' rent week, an t' poor rate's due, an I doant knaw which way ta turn for t' brass, becoss I know varry weel at he's after cadging brass for some thing or uther. (*Weyver's Awn*, 1886)

"Remember," a good wurd varry, for them at maks a pracktis a borrain books, umbrellas, an promise makkers. (*Pogmoor*, 1867)

If yoh put yor name on yor umbrella it's a certain way o' temptin t' world ta rob yoh o yor good name. (*Pogmoor*, 1879)

It's sed at nowt maks a man as neer-seeted as ta be lookin for his hat on a full hat rack, when it wor an owd un at hee'd previously left thear. (*Pogmoor*, 1878)

ACCIDENTS

It's a terrible thing when yo run wi' yo're heead into a stooan-wall when yo've noa hat on. But it's a thunnerin' seet warse when yo run wi' yo're little tooa into a chair-leg when yo've noa booit on. One maks yo see stars but th' other maks yo tawk flames. (*Clock*, 1921)

Owd Qeearsoorts gat a big shock th' other neet when he wor gooin' up stairs, he thowt he worn't at th' top when he wor. But he gat a bigger shock next mornin' for when he wor comin' dahn stairs he thowt he wor at th' bottom when he worn't. (*Clock*, 1921)

Three things at nivver happen tul uz twice: Bein born, gettin wer wizdom teeth, an killed e a railwaay accident. (*Leeds Loiners*, 1877)

Net varry pleazant – Pickin a few blackberries be mooinleet, an gettin a black snail e yor maath bi mistack. (*Leeds Loiners*, 1877)

ILLNESS

Hev ya ivver noaticed 'at when ya say ta fowk: "By gow, Ah hev t' heeadwark this mornin'," they'll say: "Ah knaw Ah've t' bellywark." They tak' noa notice abaht yahr heeadwark. Ya mud nivver hev spocken abaht it. All 'at matters is their bellywark. (*Stubbs*, 1925)

A docter at yo maay trust tul – Wun at taks hiz awn pills. (*Leeds Loiners*, 1874)

Nivver envy a man becoss he can ride in a motor car, maybe he has rheumatics. (*Clock*, 1915)

Advice at yo can't tak – Yor medical man advisin yor ta goa tut sea-side fer a munth, when yo've nowt ta goa wi. (*Leeds Loiners*, 1881)

A poor shop for a chap wi' corns – T' stamp office. (*Yorkshireman*, 1886)

It's nobbut sickly fowk 'at can reight enjoy gooid health. (*Clock*, 1876)

"I'll mak thuh smart when I get at thee," az t' opodildoc bottle sed tul t' cut finger. (*Leeds Loiners*, 1873)

Ther wor a misprint in a paper tother day. It sed at "th' inflewenza had caused a increase o' morality ith' taan", an' lots o' fowk laft at it, but aw dooant see why, for if a chap gets a full dooas o' inflewenza he willn't bother mich abaat owt else. Awve had it. (*Clock*, 1898)

Mortars and pistols destroy fewer lives i' battle nor mortars an pestles do i' th' doctors' shops. (*Clock*, 1898)

If yo've a child 'at's sick, nivver fotch in th' woman 'at lives next door to luk at it, unless yo' want to be tell'd 'at shoo had one once 'at just began i' th' same way. (*Clock*, 1885)

John Bunyan deed i' 1688. Doan't aw wish my bunyan ad deed at tysame time, but it's az lively az tuppence yet, speshully at chainge at wether. (*Toddles*, 1863)

GREAT IDEAS

*philosophy – nature – truth – religion
– politics – advice*

PHILOSOPHY

Habits ar like cart rooaps – yo add wun strand ta anuther, twirling an twisting em continerrally tagether till at last yo can't break em. (*Pogmoor*, 1910)

Trifles mak perfekshun – but perfekshun's noa trifle. (*Pogmoor*, 1909)

A honest mind iz incapable ov dishonest actions. (*Pogmoor*, 1910)

Sum foaks say at eeach day hez its care, but ah say at eeach care hez its day. (*Pogmoor*, 1905)

See at yo doont ower-do contentment. It's allreight enuff ov itsen, but sum fooaks let it teych em ta sit dahn wal t' weeds grow. (*Pogmoor*, 1905)

See at yo despize nooa efforts ta get on hahivver humble – t' lark hez a varry low nest, but it soars heigher than t' mooast birds. (*Pogmoor*, 1905)

Ther's nivver a ill but ther's a gooid to back it – a chap wi' peg legs nivver suffers wi' corns. (*Clock*, 1879)

Oxenhope Industrial Provident Society Gala in Edwardian times.

T' way ta perfekshun iz throo hundreds a disgusts an mistaks. (*Pogmoor*, 1909)

T' pessimist is allus flayed there wean't be enuff trouble ta goa rahnd. (*Clock*, 1936)

If a man nivver chainges his opinions, he nivver corrects his mistaks. (*Pogmoor*, 1900)

Freeatin ovver spilt milk willn't buy another caah. (*Clock*, 1893)

True liberty is to be able to do as yo like – net to be able to mak other fowk do as yo like. (*Clock*, 1896)

It's better ta go ta bed hungry, then get up in a mornin ta mack waste. (*Pogmoor*, 1844)

A bad shoo ill-becomes a praad fooit. (*Pogmoor*, 1844)

A fooil's hat al fit a menny heads. (*Pogmoor*, 1844)

A breet shoe shud be we a clean stockin. (*Pogmoor*, 1844)

Some men ar strong enif ta carry a mill-stone, but too wake to bear an insult. (*Pogmoor*, 1849)

If sum men ad go t' way at ther heel points, astead a theer tow, thade turn back a menny a trubble. (*Pogmoor*, 1849)

A chap 'at's born wi' a long leg an' a short 'un is sewer to hev a lot of ups-an'-dahns i' life. (*Clock*, 1924)

If we didn't stand in us own leet sometimes we should see fewer shadows 'ith front ov us. (*Clock*, 1935)

A thing o' beauty is a joy as long as it behaves itsenn. (*Saunterer*, 1880)

It's no sin ta hev squintin' een an' a red heead, but it's unfortunate. (*Yorkshireman*, 1887)

It isn't t' amahnt 'at a man owes 'at bothers him; it's t' men he owes it to. (*Yorkshireman*, 1887)

When a man says he doesn't care a toss for owt or onnybody, ye may be pretty suar it's becoss he hezn't owt left to toss wi'. (*Yorkshireman*, 1887)

It's better to escape a gooid man's censure nor to win a bad man's praise. (*Clock*, 1880)

"Isn't one man as gooid as another?" God forbid! – Life's journey is rough enuff as it is. (*Clock*, 1880)

Monny fowk is like a fooitball – as sooin as they get pawzed o' one side they fall deead. (*Yorkshireman*, 1888)

When a chap says he doesn't consider hissen a saint, he wants yo ta think he's near one. (*Clock*, 1876)

It's nobbut them 'at feels ther awn wayknesses 'at can feel fur t' wayknesses o' ther fella creeturs. (*Clock*, 1874)

A man may hev a way of his awn an' nut hev his awn way. (*Yorkshireman*, 1888)

It's easier to find fault wi' a chap for what he's done, nor it is to show him ha he should ha done it. (*Clock*, 1889)

A clock nobbut shows t' tyme; it willent mak it. (*Clock*, 1936)

It's fair cappin' hah monny reeasons we can finnd why a thing shouldn't be done when we dooan't want to do it. (*Clock*, 1929)

He's sure to be disappointed 'at sows wild oats an expects to mak a profit at hawvest time. (*Clock*, 1876)

A chap at spends his mornin thinkin ovver what he intends to do i' th' afternooin, is likely to spend his afternooin regrettin he didn't do it i' th' mornin. (*Clock*, 1876)

If yo' dooan't want to be bothered wi' detractors nor vilifyers dooant set up for a hero or a saint. (*Clock*, 1880)

A grain o' wisdom in a bushel o' folly is lost, but a grain o' folly in a bushel o' wisdom allus comes to th' top. (*Clock*, 1876)

When a chap complains 'at th' world is upside daan it's a sign at he's th' wrang end up. (*Clock*, 1880)

Some on us (even Yorkshermen!) gets it into wer heead at we belong t' earth. It's a mistak. We're nobbud lodgers. (*Stubbs*, 1914)

Dooant blame th' world for net appreciatin yo, remember yo're net th' only pebble on th' beach, an th' world has plenty to do withaat botherin abaat ye. (*Clock*, 1912)

Nivver mind if yo can't leeten all th' world; yo've enuff work to breeten your awn little sphere if yo do it properly. (*Clock*, 1916)

Two-thirds o' life is spent i' hesitatin', an t' other third i' repentin'. (*Clock*, 1925)

Th' moor yo grummel at th' world an th' less th' world'll think o' yo. (*Clock*, 1913)

Th' world nivver luks cleean to a chap 'at wears mucky glasses. (*Clock*, 1916)

When yor alooan watch yor thowts. When at hooam wi th' wife an childer watch yor temper; an when i' th' world, watch yor tongue. (*Clock*, 1913)

What a blessin it is to us all 'at man connot remoddle th' world to suit hissen. We should be in a mullock if they could. (*Clock*, 1912)

T' biggest mistack ov all iz ta think at yo'll get throo t' world withaght hevin yer crosses like other fowks. (*Leeds Loiners*, 1876)

Life ta sum foaks iz like hunting a squerril, theaz moor exercise than squerril at t' end on it. (*Pogmoor*, 1897)

It's allus nice an' eeasy to flooat wi' th' streeam. But yo mud get pitched neck an' crop ower a cataract, an' that 'ud mak' things rayther awkard, wouldn't it? (*Clock*, 1927)

Th' world gives yo back what yo give it. An' a chap 'at gooas throo life carin' for nob'dy but hissen, didn't owt to be capt if he discovers 'at nob'dy cares for him. (*Clock*, 1927)

Contentments a good thing, if it duzn't mak yo tak a back seeat an begin ta rust. (*Pogmoor*, 1898)

Yore journey throo life may call on yo ta travel amang thorns but interspersed a thahsand sweet blossoms al spring up at yor feet. A hunnysuckle iz ofens blooming next to a breear. (*Pogmoor*, 1900)

If yo want ta prevent wot's past, put a stop ta it afoor it happens. (*Pogmoor*, 1898)

Ther's nobbud wun thing at I knaw 'at's worth t' most when it's weel tired, and that's a cart-wheel. (*Weyver's Awn*, 1889)

Wun hafe a life's unhappiness iz caused be looking back at griefs past, an forrad at fears ta cum. (*Pogmoor*, 1898)

A man maks a mistak when he tays difficalties for impossabilities. (*Pogmoor*, 1891)

A chap has a higher noation of yor wisdom and judgment, if yo listen to him, nor if he has to listen to yo. (*Clock*, 1881)

If two childer feight they get licked; if two men feight they get lockt up; but if two armies feight they get glorified. Funny, isn't it? (*Clock*, 1896)

A dimand wi a flaw in it iz better nor a common stoan withaht. (*Pogmoor*, 1893)

That chap who would be virtuous in thought and deed, should seek aght th' north powl, shake off his flesh, an' sit in his booans on an iceberg. (*Clock*, 1881)

Goodness iz nivver forrad an obtrusive – straws swim on t' surface, but pearls lig at t' bottom. (*Pogmoor*, 1898)

Noa man can avoid his awn cumpany, soa he'd better mak it as gooid as possible. (*Weyver's Awn*, 1900)

Put off repentance till to morn, an yo hev a day mooar to repent ov, an a day less to repent in. (*Weyver's Awn*, 1900)

We may nivver see to-morn, soa it's awr duty to mak th' best ov to-day. (*Clock*, 1898)

Providence hez furnish'd t' raw stuff, we mak az oan destinnies. (*Pogmoor*, 1891)

Good foaks look at t' merits ov a fellah, but comman foaks look for his big folts. (*Pogmoor*, 1891)

Foaks at try ta do ivverything ofans accumplish nowt. (*Pogmoor*, 1893)

T' best substitewt for wisdom iz howdin yor tung. (*Pogmoor*, 1909)

A vinegar plant iz a fittin crest for a saar caantenance; wal a honey-coamb iz wun for a sweet temper. (*Pogmoor*, 1867)

A still tongue iz offance fun ta be t' latch-key to a active mind. (*Pogmoor*, 1867)

Hard hits wi t' tongue ar offance felt ta hurt war then wot hard hits wi clencht fists ar. (*Pogmoor*, 1867)

Waitin for a good wurd cumin aht a sum foaks' maath iz like tryin ta get a nut crackt wi a lockt jaw. (*Pogmoor*, 1865)

Callin a wurd back, macks grand cement sumtimes for stoppin a hoyle i wun's manners. (*Pogmoor*, 1864)

Humilaty consists e a man thinkin t' truth abaht hissen. (*Pogmoor*, 1891)

Foaks pick up ther crums, wal good crusts ar thrawn inta t' swill tub. (*Pogmoor*, 1875)

A chap should be sewer ov his voice befoor he begins to sing his own praises. (*Clock*, 1895)

Thirty years after date, is abaat th' time when old age pays for youth's follies. (*Clock*, 1895)

A chap wi' a easy conscience can sleep withaat a neet-cap. (*Clock*, 1880)

It's oftens struck me 'at life's varry like a badly mixed puddin. Ther's some fowk at gets big helpins, an it's all plums, an candid peel, an sugar, an ivverything 'at's gooid. Wol ther's others at hes varry small helpins indeed, an when they've getten it, it's nowt but suet an sad duff, wi' hardly as mich as a curran to mak it tasty – awm glad at ther's another world wher things'll be sarved aght a bit mooar equaler nor they are here. (*Clock*, 1888)

Nivver build o' what's to come, for it isn't oft it comes. (*Clock*, 1891)

Two o' th' clock isn't laat at neet, it's sooin i' th' mornin. (*Clock*, 1887)

Ah've often wondered hah it is 'at we hev all th' bad fowk livin' i' this generation, for ther doesn't seem to hev been onny livin' afooar, judgin' bi ther epitaphs. (*Clock*, 1918)

Ther's nivver varry mich gained throo bein in too gurt a hurry. (*Clock*, 1887)

Wun at warst things e life iz trustin ta summat ta turn up asteead a goon ta wark ta turn summat up. (*Pogmoor*, 1891)

Ther's as mich difference between genius an talent as ther is between a young colt an a weel-brokken horse. Th' colt may cut moor novel antics nor th' horse, but it's moor likely to run its heead agean a wall. (*Clock*, 1906)

Blessed is he that expecteth nothing, for he'll be sewer to get it. (*Stubbs*, 1909)

We dew feel strong when we've nobbut a leet weight to carry. (*Stubbs*, 1909)

James 'Pie' Leach (1815-1893) – Keighley character and politician.

Foaks tawks abaaht pride bein at a great height, an soa it iz; but it's a great misfortan at it's not heigher a deal, soa az foaks cuddant scrim up to it sa eazily az they do. (*Pogmoor*, 1867)

E tryin ta mend wir past ways, lets mind and hev plenty a matterial by uz, ta mend t' ways ta cum wi. (*Pogmoor*, 1862)

A threedad needle iz ardly ivver lost, wal menny a button iz for t' want a uzein it. (*Pogmoor*, 1861)

It's better for things ta be aht a yer reich, then for yo ta ovver reich yersen an fall inta trubble. (*Pogmoor*, 1863)

Theaze menny a wun at's glad when thare getherin ther crums, at thinks nowt abaht thrawin away a crust. (*Pogmoor*, 1864)

Sum foaks ar allas leetin a ther feet, wal uthers hezzant a leg ta stan on. (*Pogmoor*, 1874)

Upstarts varry offance limp or breik daahn before thave goan far. (*Pogmoor*, 1874)

Foaks at ar allas drivin at summat or anuther varry offance run inta t' hedge bottam a dissapointment. (*Pogmoor*, 1874)

The's noa rest i' this world – nobbut i' t' cemetery! (*Stubbs*, 1909)

Did ivver onny boddy drop a peice a coin aht a doors an not noatis a grate-hoyle cloise by? (*Pogmoor*, 1874)

If we spend t' same trouble thinkin' abaht other fowk's feelin's as we'd like 'em ta think abaht ahrs life wod be a lot happier for ivverybody. (*Stubbs*, 1925)

Yer fortun's made as sooin as ivver yor satisfied wi what ye hev. (*Weyver's Awn*, 1879)

He's a gooid lad at allus fetches t' coyls up t' first time tellin, an it's a rare donkey at ivver strays aht ov its awn pasture. (*Weyver's Awn*, 1880)

Nivver meddle wi uther fowk's buziness, or yo might get yor noaz inta trubble. (*Leeds Loiners*, 1877)

It's all noa uze talkin abaght time, it will goa on in spite ov uz. (*Leeds Loiners*, 1873)

Chonce iz like a numbereller – it duzzant tak twice ta loize it. (*Toddles*, 1863)

It's varry odd at wen yo pertikkerly want ta miss a fella yo're suar az fate ta meet him. (*Toddles*, 1863)

T' first chap 'at sed two heeads wor better ner wun wer a barber. (*Weyver's Awn*, 1877)

A unlucky word dropt be't tongue, can't be fotched back be a coach and six. (*Pudsey*, 1867)

Dunnat expect to be call'd a hearty fellah a bit longer ner wal ya chuse ta du as other fowks want ya to do. (*Pudsey*, 1867)

Whoivver blaws t' coils in a fratch suddent be mad if t' sparks fly e ther faice. (*Pudsey*, 1867)

Superfishal knollidge like oil upa watter can be easily skimmed off. (*Pogmoor*, 1891)

Some fowk mak a grand start, wol others skrammle off "th' scratch" varry slowly. It's all varry weel is a gooid start, but if yo havn't "staying paar", that'll avail yo nowt, an' ye'll sooin be ovvertaan bi them at's slower, but moor sure. (*Beacon*, 1873)

If ivvery strictly honest man wor takken aght o' this world today aw dooant believe they'd be onnybody missed. (*Clock*, 1881)

Don't run inta hopeless debt fer t' sake of keepin up a better appearance ner yer naybers. Nivver wade so far intat stream wal ya cannot wade back agean. (*Pudsey*, 1867)

It's better ta be gud ner gurt. Besides ye'll hev less competition. (*Weyver's Awn*, 1891)

NATURE

Shakespeare said "That which we call a rooas by onny ither name wod smell ez sweet." And ahr John Willie sez "That which we call a onion wod taste jest ez gooid choose what tha called it." Shakespeare mud hev knawn his rooases but ahr John Willie knaws his onions. (*Clock*, 1955)

Th' hansomest flaar doesn't smell th' sweetest. (*Clock*, 1916)

T' langwidge a flowers iz ah suppoaze wot a barefooited man sez when he steps on a thistle. (*Pogmoor*, 1909)

TRUTH

It isn't allus easy to spaik th' truth, an ther's soa monny easy ways ov lyin' 'at fowk seldom try. (*Clock*, 1908)

Trewth will aht, bud it often cums aht ta lat ta be ov onny ewse. (*Weyver's Awn*, 1900)

Truth iz a rough, honest, helter-skelter terrier, at sum fooaks doont like ta see browt inta ther parlours. (*Pogmoor*, 1910)

"Trewth is stranger ner ficshun," that's trew eniff, bud ther issn't hawf as monny strangers ta ficshun as ther is ta trewth. (*Weyver's Awn*, 1900)

Wun lie mun be thatch'd be anuther lie, or it'll sooin rain through. (*Pogmoor*, 1910)

Mooast foaks at say ther "aim iz awlus ta tell t'trewth" ar not awlus t' best shots e t' Kingdom. (*Pogmoor*, 1910)

Wot is it yo can keep when yo gie it ta sumbody else? – Yor wurd. (*Pogmoor*, 1909)

RELIGION

Befoar poor foaks iz wed, thare generaly ax'd tut cherch three times; but at aftur that, it looks ta me az if a good menny wor waitin ta be ax'd agean, for thare nivver seen thear. (*Pogmoor*, 1845)

Nivver stop at home becos ther happens ta be a colleckshan at plaice a wurship yo reckan ta go too, for theaze more ta be shaimd at in a vacant seat, then giein a nod. (*Pogmoor*, 1849)

Go to a plaice a wurship at least twice a day; ah mean ivvery Sunday; but if ye caant keep t' wurld through rowlin abaght e yer canister, when yo ar thear, yod better stop at home. (*Pogmoor*, 1849)

A tin tack duz mooast mischief when it points uppards – t' wunder iz hah monny hypokrits du just t' same. (*Pogmoor*, 1909)

Did yo ivver naw onny boddy we creakin shoes, but wor suar allus ta get ta plaices a wurship late. (*Pogmoor*, 1851)

Awd rayther be a parson nor a doctor, becoss it's easier to praich nor to practice. (*Clock*, 1894)

Consistency is a fine thing but varry scarce. Aw've known men who wouldn't let ther hens aght ov a Sunday for fear they should scratch, an' yet have kept two wimmin hard at wark all mornin' to have a extra dinner ready when they've come back throo th' church. (*Clock*, 1881)

When a chap says to me, "Aw hooap to meet yo i' Heaven," aw allus wonder whether it's me or hissen 'at he's daatful abaat. (*Clock*, 1893)

A chap 'at lets his wife cleean his booits, fotch up th' coils, leet th' foir, an tak in weshin for a livin, isn't th' sooart ov a chap for th' leeader ov a class meetin, but yo'll find him thear some times. (*Clock*, 1894)

If it wor put to a voat, whether this world should be deprived ov its cooks or its clergy, aw've a nooation ther'd be a rise ith' price o' pots an pans an surplices could be had for a song. (*Clock*, 1890)

If a chap sarves the devil six days in a wick, he can affooard to give him a holiday for one day to spend at church. (*Clock*, 1892)

A chap will nivver build a church 'at's determined to start at th' top o' th' spire. (*Clock*, 1876)

Thripny bits have to answer for monny a small collection. (*Clock*, 1877)

When a chap tells yo he's religious becoss he gets his religion cheeap, yo can put it dahn he's been robbed. Becoss it doesn't matter hah little he's paid for his religion, he hesn't gotten as mich religion as he's paid for. (*Clock*, 1928)

A man 'at'll chait in his shop is an hypocrite in his church. (*Clock*, 1879)

Ha' monny ther are who say, "The Lord is my shepherd," who have nivver done moor nor peep ovver th' edge ov His fold. (*Clock*, 1880)

It's all sham – When a wod be saint taks t' prayer book tut cherch on a Sundaay, an turns hiz wife an barnes intut street during t' week. (*Leeds Loiners*, 1882)

A weel spent life is a better sarmon nor some yo hear at church. (*Clock*, 1913)

Ther's a deeal o' fowk gooa regular to a place o' worship, but if some on em only gets as mich religion as they pay for Ah'm feeared it isn't mich. (*Clock*, 1931)

When aw meet a man who professes to be religious, an aw find him to be bigoted – glumpy – lowspirited an saar tempered – aw give him to understand at he's awther a hypocrite or else he's getten hold oth' wrang creed. (*Clock*, 1904)

"Angels are nivver painted wi whiskers, an that shows ther's few men ivver get to heaven." "Happen soa – an aw nivver saw a angel painted in a 'Merry Widow' hat, an that proves to me 'at they're net all happy thear." (*Clock*, 1910)

Religion is a failure if it maks yo sad. (*Clock*, 1912)

Outdoor hymn-singing at an Oakworth Nonconformist Sunday School Festival.

Aw could like to see a lass 'at didn't want a new jacket for th' Chapil Anniversary, but thowt her winter one ud do just as weel. An aw should be reight daan sewted to hear ov a chapel or a church awther, wher they gate as mich at th' anniversary as they wanted. Ther may be sich cases, but aw've net coom across 'em. (*Clock*, 1917)

When a chap's seen to bi gooin to church reglar, fowk say he gooas becoss he's religious, but it's moor oft becoss he's religious 'at he gooas. (*Clock*, 1912)

Uncomfortable feelins – Discoverin after yo've cum aght at chapel at yo've given em a hauf soverign atstead ov a sixpence. (*Leeds Loiners*, 1877)

Some fowk have queer e'e seet. They can detect th' leeast failin i' th' parson throo th' far end o' th' church, and yet cannot see th' collection box when it's held under ther nooas. (*Clock*, 1901)

Hell is a place whear th' heathen goa to if they sud happen ta dee afoar th' missionary gets at 'em. (*Chimney Nook*, 1911)

Hah ta turn fowks heeads – Goa inta t' church lat wi sum squeaky booits on. (*Pudsey*, 1897)

Aw've just been readin 'at "a true Christian rejoices in suffering" – if that's soa awm noa Christian. (*Clock*, 1901)

When ye meet wi a man at mixes religion up wi ivverything at he duz, whoa cuddn't quote t' price ov a bushel ov oats, ner meazur a yard ov calico withaght referin ta St Paul or sum other authority, be suar an lewk aght er else yo'll be dun. (*Leeds Loiners*, 1877)

Yo nivver owt ta tak a pinch ov snuff when yor et church er chapel, iv yo ar'nt uzed tul it – cos yo might sneeze an disturb t' congregation, an weccken some ov yor friends aght ov a peaceful nap. (*Leeds Loiners*, 1879)

If yo'll step heavenward, heaven will stoop to yo. (*Clock*, 1912)

Th' mooast profitable sarmon isn't that 'at shows th' parson to be a thinker, but that 'at causes his hearers to start thinkin for thersen. (*Clock*, 1908)

When aw see some parsons donned up i' ther praichin suit, they remind me ov a lantern baght canel – they luk varry weel but they shed noa leet. (*Clock*, 1908)

Some fowk say it's hard to believe all 'at Christianity teiches, but it's a deeal eeasier to believe it nor it is to practice it. (*Clock*, 1930)

Nivver blame a lass for spendin her brass on a stylish bonnet: – it may be a meeans o' grace, for shoo's pratty sewer to attend th' chapel reglar for a Sundy or two at onny rate. (*Clock*, 1889)

If all t' bonnets an frocks at's worn at anniversaries wor forced to be paid for afooarhand, the'd be sum stock o' emp'y pews. (*Stubbs*, 1909)

Leave lowse o' God's hand an yo'll finnd the Divv'l at yer elbow. (*Stubbs*, 1909)

Hah is it 'at enny woman can tell yuh a deal more abaht t' style o' bonnets they see at t' church nur abaht t' sarmon they've heard? (*Toddles*, 1868)

Sum foaks like ta hev ther religion like t' small pox, as leet as possible, an soa az not ta mark em. (*Pogmoor*, 1896)

A chap 'at's sick o' th' depravity o' this world, should hurry off to th' next; ther's plenty o' raam an' a gooid fire. (*Clock*, 1885)

Aw once heeard a praicher say 'at this world wor made up o' saints an sinners. If he wor spaikin accordin to his own experience he'd been luckier ner me, for aw've met but one sooart. (*Clock*, 1898)

When a chap tells yo he doesn't want to goa to Heaven when he dees, it's becoss he knaws 'at if he should land theear he'd meet a lot o' fowks 'at he's done mucky tricks to, an' he wouldn't be comfortable amang 'em. (*Clock*, 1920)

Somebody has said that "All men are equal in the sight of God." Ah can hardly believe it unless God sees 'em at a different focus to what aw see 'em. (*Clock*, 1920)

Some chaps are soa narrow-minded 'at they can't see onny gooid i' owt. An' others are soa brooad-minded 'at they could work harmoniously wi' owd Nick. Ah fancy owd Nick hes a deeal o' respect for booath sooarts. (*Clock*, 1920)

For all it is at sum parsons read an tawk sa low, at hiz congregashan can ardly tell a wurd he says, he still calls em hiz hearers. (*Pogmoor*, 1866)

POLITICS

A chap at's born wi' a silver spooin in his maath isn't fit for a politician – he couldn't tawk enuff. (*Clock*, 1910)

A spaater at duzz'nt mean what he sez: one at advocates political economy, an lives on t' hard earnt pennies at publick. (*Leeds Loiners*, 1882)

A strikin spaater: one at stands up fer t' werking man's reights an maks em dissatisfied wi ther condition. (*Leeds Loiners*, 1882)

Tak yer brass hoam at end at week. It's a deal better ner arguing politics wal it's hawf spent; mind that will yo an put it daan e yer noddles. (*Leeds Loiners*, 1882)

"The voice of the people is the voice of God," is considered a grand sayin; but aw've too mich respect for mi Maker to believe it's allus true. (*Clock*, 1889)

Awd rayther hear a donkey rawt nor a pot-haase politician state his views. (*Clock*, 1885)

As sooin as a chap has a haase ov his own an' a bit o' brass i' th' bank, he stops tawkin' abaat all men being equal. (*Clock*, 1885)

We live in an age o' faith. Aw've met wi' scoers o' fowk 'at believe Honesty is th' best Policy, at nivver tested it. (*Clock*, 1885)

Soashalism, they say, iz ta divide wi yor bruther man. If yo think soa yor far astray. Soashalist leeaders seem ta think at it's makkin ther bruther man divide wi them. (*Pogmoor*, 1898)

When yo calkilate yor reights, mind yo use justice for a tape-mezhur. (*Pogmoor*, 1898)

When a chap praiches th' doctrine at all men should share an share alike, yo can bet he doesn't own mich. (*Clock*, 1895)

Ha monny chaps ther are who are honestly anxious to reform th' world who forget 'at they form pairt on it. (*Clock*, 1898)

ADVICE

It's nivver ta late ta gie good advice; nor it's nivver ta sooin for foaks ta tack it. (*Pogmoor*, 1845)

It's a mistack ta think at ivveryboddy al wish ta help yo when t' daay ov nesesity cums. (*Leeds Loiners*, 1876)

When yor reading this Almanack an leet on a cap 'at just fits yor next-door-naybor, luk agean an maybe yo'll find one to fit yorsen. (*Clock*, 1889)

You shud nivver cahnt yer chickens until after daybreak.
(*Weyver's Awn*, 1900)

If yo find a spark o' trouble deeal wi' it gently an yo'll put it
aght, but if yo fume an fuss abaat it, yo'll fan it into a blaze.
(*Clock*, 1890)

If yo want trouble to thrive – nurse it. (*Clock*, 1891)

It's nivver wise to kick a chap when he's daan, unless yor sewer
he's gooin to stop daan. (*Clock*, 1891)

Awlus tak a leeted can'le wi' ye to lewk fer escapes o' gas. This
prevents t' gas gettin aht o' t' road withaht some'dy knawin
summat abaht it. (*Saunterer*, 1880)

Nivver give onnyboddy owt except yo can spare it, an doan't
even then except yo knaw ther worthy on it. (*Leeds Loiners*,
1878)

Yo nivver owt ta disturb a wasp nest, except yer a good runner.
(*Leeds Loiners*, 1882)

Nivver pick a quarrel wi a chap at's bigger ner yorsen cos he
might hurt yo, an nivver pick one wi onny boddy at's less, cos
yo might hurt them. (*Leeds Loiners*, 1882)

Nivver try ta shave yorsen wi a penny cannle; cos it might slip
an goa inta yor maath. (*Leeds Loiners*, 1876)

Nivver goa a skatin where it's aboon three inch deep ov
watter, an yo'll nivver be draanded iv yo goa in heead furst.
(*Leeds Loiners*, 1877)

Nivver leave undone till to-morrow what yo could hev done t' daay afoar yesterdaar. (*Leeds Loiners*, 1882)

Allus prepare for th' warst, then if th' best comes yo can stand it. (*Clock*, 1912)

If yo cannot swim nivver try to wade throo' a beck unless yo can see th' botham. (*Clock*, 1915)

If yo want to win popularity yo should think moor o' other fowk ner yo do o' yorsen. (*Clock*, 1915)

When a chap's friendship can be won bi gifts, my advice is stick to th' gifts an risk his friendship. (*Clock*, 1915)

Doant meet trubbles hauf way, for thare not wurth t' compliment. (*Bramley*, 1886)

Free advice is worth just as mich as it costs. (*Clock*, 1910)

Live az far away throo a gossaper az yo weel can; an' when onny do cum ta see yo, begin a sweepin t' hause-floor, or hev all t' chair bottoms aght in a jiffy. (*Bramley*, 1886)

If ivver tha gooas in for Spiritualism, be a Medium; if ivver tha gooas in for Horse Racin, be a Booky; an if ivver tha gooas in fer Co-operativism, be a Director! (*Clock*, 1936)

Nivver despair tho yo meet wi' misfortun, ther's mony a gooid dog 'ats limped. (*Clock*, 1868)

Nivver judge a chap bi' th' cut ov his whiskers. Ther's mony a flowing beard 'at covers a face o' brass. (*Chimney Nook*, 1909)

Nivver despise a chap becoss he's not as sharp as yorsen; if he connot grow tulips he con happen grow turnips. (*Clock*, 1868)

Nivver booast abaat makkin a gooid start, it's th' finish 'at tells th' tale. (*Clock*, 1889)

Keep yor ears lowse, but yor tung cloise. (*Pogmoor*, 1897)

Saave all yo can for a rainy daay, an it al be nowt amis wen it snows. (*Leeds Loiners*, 1878)

Nivver trust onnyboddy at tells yo otha fowk's concerns, an doan't tell em yer own iv they ax yo. (*Leeds Loiners*, 1878)

Nivver judge by appearances; a footman is oft better dress'd ner his maister. (*Clock*, 1868)

A mild word melts a hard heart like a mild wind melts a hard frost. (*Clock*, 1868)

When onnyboddy offers ta du yo a gud turn when yo doa'nt want won, be suar at when yo du want won yo'll net get it e that quarter. (*Leeds Loiners*, 1877)

Don't grind ginger for ivvery little snubby-noaz'd dissapoint-ment at may cum i' yer way; but hev a heigher sperrit, an' grind fer noan but upgrown ans. (*Bramley*, 1886)

Avoid kickin up a dust wi' yer nabors; for it's stuff at nivver sattles daan, ardly, but hings like a claad raand yer doorstan. (*Bramley*, 1886)

If yo want to have yor opinions respected, keep em to yorsen. (*Clock*, 1910)

William Wright (1836-1897) – Worth Valley poet and pamphleteer.

Nivver judge a man bi what he's done, but bi what he's tried to do. He may have failed, but still have pointed th' rooad for another's success. (*Clock*, 1908)

If to-day's pleasures bring pain an trouble for to-morn, chuck 'em. (*Stubbs*, 1914)

If yo're faced wi a hard job 'at yo feel it's yor duty to do, start on to do it, yo'll find it grows easier th' longer yo keep at it an when it's finished yo'll be stronger nor ivver. (*Clock*, 1908)

If ya hev a tooith at warks, get a gooid strong wax-end; tee it fast tut tooith, an then teagle tuther end tut bed-fooit. When all's ready, get yer wife er nearest frend ta fotch ya a pratty fair wallop across at nose we a rollin-pin, an t' thing al be done e quick-sticks. (*Pudsey*, 1867)

If yer fond o' astronomy, an wod like ta knaw wheer all t' stars are, just treyd on a piece ov oringe peel. Ye'll finnd em. (*Weyver's Awn*, 1896)

Nivver borra trubble. If yo do, expeckt ta hev ta pay a big interest. (*Pogmoor*, 1892)

If yo want to enjoy a pleasure, haddle it befoor yo get it; if yo have th' pleasure furst, yo'll regret it befoor yo've paid fer it. (*Clock*, 1898)

Nivver expect nowt throo a chap at's awlas braggin abaht what he'd dew if he hed t' same chonce as sumboddy else. (*Weyver's Awn*, 1896)

Put off bad habbits, an pray at they may be fun soa poor at they'll not be wurth puttin on agean. (*Pogmoor*, 1867)

Dooant try to win bi trippin' up them 'at's ahead, for if yo've th' reight sooart o' stuff in yo, yo'll be able to mak a fairer show if yo leave backbitin' an' pilferin' alooan. (*Clock*, 1885)

If yo say nowt, tho' yo know nowt, fowk'll credit yo wi wisdom. (*Clock*, 1877)

If yov nowt ta say doant say it. (*Pogmoor*, 1891)

Doant try to leap off a t' door steps ov a humble cottidge on to t' trig ov a manshan; for theaze great danger of a fall. (*Pogmoor*, 1860)

Doant keep leapin throo wun plaice to anuther, be way a tryin ta get up a better graand; for it may be, at if yo want to leap back again, yol be aht a wind an caant. (*Pogmoor*, 1860)

It's better for a man ta cut hiz cloath accordin to hiz means. If not, he sumtimes finds hiz means cuttin him. (*Pogmoor*, 1863)

Nivver crack a joake an a short temper, for it may fly back agean it shap ov anuther crack up at noaze a them at gav it. (*Pogmoor*, 1873)

For a long tongue, put it nicely between t' teeth, an then let a good smart hit be gein owr t' top at head an a chuck under t' chin. If this duzzant cure it wi t' furst doase it will it seckand. (*Pogmoor*, 1874)

When it iz at yo begin a gettin into wot's calld a bit better soart a cumpany, doant let it turn yer noaze up, or ees awther, when it iz at yor passin a middlin dresst owd cumpanion. (*Pogmoor*, 1873)

If yov a hoyle i yer stockin-heel, an t' day happans to be varry windy, keep i t' hahce till it's mended, then noabdy al naw owt abaht it, or at yor gien ta be laizy. (*Pogmoor*, 1861)

Doant leap aht ov a plain hoamely suit into that ov a fop, for thare soa made ar t' pockets, at t' brass flies aht on em az fast nearly as it's puttan in. (*Pogmoor*, 1860)

Lookin rhaand t' corners:
– Lockin t' pantry door, an keepin t' key aht a t' ale barril, after yer dog iz seen ta weg hiz tail at a policeman;
– Bein on yer guard at a railway stashan, an at ahtside ov a craad, when yov onny brass i yer pockit;
– Seein at t' wesherwoman cums ta yer hahce withaht pockit, an leaves it withaht a baskit. (*Pogmoor*, 1862)

Put noa moar solt e uther foaks' porridge ner yo can tak e yer awn. (*Toddles*, 1863)

Nivver set up fur bein bettur ner ye reeally ar, an yo'll net offen be takken fer warse. (*Toddles*, 1863)

Nivver attempt ta boar a hoil thro a mad bull's noaze we a toastin fork, unless yore anxshus ta get a rize it wurld. (*Toddles*, 1864)

If onnyboddy says owt bad abaht yuh doan't goa mak a gurt stir, bud goa on as if nowt hed happened. It'll be tul 'em like hittin' a brick, an they wean't du it agean. (*Toddles*, 1865)

Iv yo've sixpunse ta spare after yo've paid yer waay, try an keep it till a bad toime comes. (*Toddles*, 1862)

THAT'S LIFE!
character – conduct – foolishness – happiness
– luck – morality – dreams – weather
– crime and punishment – age – death

YORKSHIREMEN

To be a Yorksherman yo've to be blunt an' bluff – oppen, frank, free, ahtspokken, gruff; nut meyly-maathed. A Yorksherman doesn't dew a lot o' smirkin an' smilin an' shakkin hands. He says: "Hah dew, lad?" "Middlin." "Hah ta?" an' passes on. (*Stubbs*, 1914)

Yorkshermen an Scotchmen hez mitch ov a sameness as regards bein short of speech an short o' cash. Bud wi' awl their faults, they're pretty straight forrad, an that's what cannot be sed abart them 'at comes throo —shire! (*Stubbs*, 1914)

CHARACTER

It isn't allus t' best sooap 'at maks t' mooast suds. (*Clock*, 1936)

A meean minded man may sometimes be benevolent, but he can nivver be generous. (*Clock*, 1935)

Fowk 'at think leeast tawk th' mooast. (*Clock*, 1935)

Yorkshire Great: Sir Titus Salt (1803-1876).

It taks a lot o' rubbin' ta mak' some on us breet. (*Clock*, 1924)

They say pride goes befooare a fall. But that isn't to say if a chap's humble he's sewer to rise. (*Clock*, 1927)

Ther's monny a man thinks hissen clever just becoss he's impooased on a fooil. It reminds yo' of a chap wi' one e'e braggin' becoss he can see better nor a chap 'at's blinnd. (*Clock*, 1926)

It's noan mitch ta be prahd on bein' generous at other fowks' expense. (*Clock*, 1924)

Fowk 'at lend ya ther troubles is noan sa ready ta let ya share ther joys. (*Clock*, 1924)

A chap 'at has noa sense ov humour despises a chap 'at cracks jooakes. (*Clock*, 1935)

A chap 'at steers clear ov other fowks' troubles hes few of his awn. (*Clock*, 1935)

A chap 'at's allus booastin' abaat his big income isn't a safe chap to lend brass to. (*Clock*, 1913)

When an ignorant feller thinks hissen wise, it's generally becoss he thinks all other fowk are moor ignorant than hissen. (*Clock*, 1929)

A chap who believes all he says doesn't say mich, or else he's easily impooased on. (*Clock*, 1910)

Yo connot polish a diamond withaat friction, an no man can become perfect withaat trials. (*Clock*, 1913)

A chap 'at's allus positive abaght ivverything is ommost allus wrang. (*Clock*, 1912)

As sooin as a fooil leearns to know he's a fooil, he's noa longer a fooil. (*Clock*, 1912)

A chap may change his clooas but he doesn't change hissen. A gooise meawts ivvery year but it nivver becomes a swan. (*Clock*, 1889)

A chap 'at's i' th' habit o' borrowin' brass an' nivver payin' it back must be a clever feller, becoss he hes to get to knaw a lot o' fowk withaht lettin 'em get to knaw him. (*Clock*, 1930)

Yo may polish some men as mich as yo like, but ye'll nivver mak em shine. (*Clock*, 1912)

A chap's best friends are oft them at know leeast abaat him. (*Clock*, 1912)

If ye want a guide to a chap's karacter, hear what th' fowk say 'at live wi him. (*Clock*, 1912)

When a chap allus does what he wants fowk seldom want what he does. (*Clock*, 1912)

When a chap finds it hard to mak up his mind, it's a sewer sign he hasn't mich mind to mak up. (*Clock*, 1912)

A chap 'ats allus ovverflowin wi wit, is like a fattycake 'at's all fat – rich but sickenin. (*Clock*, 1906)

Nivver ax a chap if he's a fooil. If he is one, he'll tell yo, withaht axin', th' first time he gets a chance. (*Clock*, 1923)

If a chap is soa thick-heeaded 'at he can't see a leet when it's burnin', ye'll hev a big job on to mak' him see it when it's blawn aht. (*Clock*, 1923)

Yo seldom hear a chap at's thrang complain of bein ovverworked. (*Clock*, 1915)

Fowk 'at sneer at them who have been summat, generly belang to th' class who nivver will be owt. (*Clock*, 1915)

Iv yo knaw onnyboddy at givs advice gratis tell um ta keep it, they maay want it thersens. (*Leeds Loiners*, 1873)

When a chap boasts at he nivver owed onyboddy a hawf craan e his life, I allus think it's cos nobody ad lend him one iv truth wor knawn. (*Leeds Loiners*, 1882)

As dayleet may be seen throo a little pin-hoil, soa duz a man's charakter shine throo small things. (*Pogmoor*, 1897)

Monny a chap gets credit for wisdom becoss he wears specs an keeps his tongue still. (*Clock*, 1901)

If yo get a bad name, yo've yersen to blame. (*Stubbs*, 1914)

A gooid-for-nowt is noa war nor a chap 'at's gooid becoss it pays him. (*Clock*, 1889)

It's a curiosity o' life 'at men who talk t' mooast generally hez t' least ta say. (*Stubbs*, 1925)

A chap 'at allus spaiks trewth can affoord to have a poor memory, but if he leaves it unspokken sometimes it may save him a lot o' trouble. (*Clock*, 1889)

If clooas made men all th' world ud turn tailors. (*Clock*, 1868)

A two-faced chap is allus miserable for fear he's showin' th' wrang en. (*Clock*, 1908)

They're easier mucky'd ner weshed, is clooas; an soa is a man's character. (*Stubbs*, 1914)

To envy a rascal becoss his rascality has made him rich, proves yo a rascal, but yo're short ov his brains an pluck. (*Clock*, 1889)

A fooil speyks and acts afore he thinks. A wise man thinks a bit afore he duz awther. (*Pudsey*, 1879)

It's a mistak ta say 'at fowk are good fer nowt. Ther generally good becos ther's summat at th' end ov it. (*Chimney Nook*, 1911)

The cream o' wit sud allus be gotten froa t' milk o' wisdom. (*Pudsey*, 1879)

Them at cannot be t' needle an goa furst may at leeast be t' threead an folla after. (*Pogmoor*, 1902)

If a chap can't mak his awn happiness, it's little use expectin others ta mak it for him. (*Chimney Nook*, 1911)

That chap 'at gets mooast sweets aht o' life is him 'at puts mooast in. It's like makkin' a plum puddin; moor plums yo put in an' th' moor yo get aht. (*Clock*, 1923)

When a man duzn't walk e yore steps an keep t' same time az yorsen, happen he hears a different drummer. (*Pogmoor*, 1900)

Tawkin nivver put a shoe on t' owd donkey. (*Pogmoor*, 1903)

Deep streeams moov wi silent majesty, shalla brooks babble ower ivvry tiny stooan. (*Pogmoor*, 1903)

If we'd all winders e wor breasts, ear ud be sum on us wishin fer curtans ivvery like. (*Pudsey*, 1867)

It taks fewer words to tell th' trewth nor it does ta dress up a lie. (*Clock*, 1901)

Things at fowks doant like ta tak, but are often reddy ta give – Advice gratis an lecters on t' shotcummins of ther frends. (*Leeds Loiners*, 1876)

Th' less a chap knows an praader he is ov his knowledge. (*Clock*, 1906)

If a chap could find a contented woman, a chap at nivver grummels, a poet 'at's grown rich bi his pen, a spendthrift at isn't i' debt, a bonny lass 'at doesn't know it, an a lad at isn't wiser than his fayther, he could start a museum. (*Clock*, 1898)

A man iz like a egg, t' longer he'z kept e hot watter, t' harder he hiz when he'z taen aht. (*Pogmoor*, 1891)

Mayhap if t' best man's faults wor written on hiz forheead he'd pull hiz hat ower hiz ees. (*Pogmoor*, 1893)

Innocence is moor to be desired nor repentance, but th' innocent dee varry young. (*Clock*, 1899)

Sum foaks ar born great, but they grow less ivvery day. (*Pogmoor*, 1893)

Ther's two sooart o' fowk at disgust me; one is them at's rich an are allus sayin ha mich happier they wor poor, an yet keep addin to ther wealth; an tother's them who say they're safe for Heaven, an langin to goa, but if ther little finger warks are freetened aght o' ther wits an send for a doctor. (*Clock*, 1898)

A stain e yer karakter tays a lot a rubbin aht. (*Pogmoor*, 1893)

Constant grumblin an growlin wears a chap aght sooiner nor tuggin an tewin. (*Clock*, 1895)

Th' bigger a chap's heart an th' less room for jaylousy. (*Clock*, 1894)

Innocence is th' sweetest thing i' th' world, but impudence elbows it to one side. (*Clock*, 1895)

Ther's some fowk who nivver hide ther leet under a bushel withaat advertisin it. (*Clock*, 1896)

A chap 'at fears nowt, an cares for nowt, generally amaants to nowt. Ignorance may mak a chap bold, but prudence shows him wise. (*Clock*, 1898)

Mooast fowk are like teah; yo can nivver judge of ther quality until they get inta hot watter. (*Clock*, 1898)

That man at yo help aht o' t' gutter is generally first ta pawse yo theer when t' opportunity cums, but a dog nivver forgets a kindness. Gi me a dog. (*Weyver's Awn*, 1896)

When ye see a lot o' chaps laykin at cards ye can set it dahn 'at thare's sum shufflers emeng em. (*Weyver's Awn*, 1881)

The start of a walking race during the Edwardian 'walking fever'.

CONDUCT

A chap withaat shame is a chap withaat conscience, an that's a dangerous sooart ov an animal. (*Clock*, 1889)

A gooid-for-nowt is noa war nor a chap 'at's gooid becoss it pays him. (*Clock*, 1889)

Aw nivver blame a chap for havin a gooid opinion ov hissen – That doesn't alter my opinion on him. (*Clock*, 1889)

It's a poor heart 'at nivver rejoices, an' it's a hard en 'at nivver grieves. (*Clock*, 1885)

If yo meet a chap 'at laffs at others' misfortunes, depend on't he'll expect th' world to goa into mournin' if he's i' trouble. (*Clock*, 1885)

It's a good thing ta be able ta shun temptashun, but it's a deal better nivver ta hev onny. (*Leeds Loiners*, 1878)

If t' reight hand izn't ta knaw wot t' left un dus, it must'nt be becos it ad be ashamed if it did. (*Pogmoor*, 1905)

When a chap booasts ov havin' experienced a change ov heart, it's oft nobbut a change o' tactics. (*Clock*, 1885)

Sum peeple ar like a envellop – they nivver shut up till ther licked. (*Pogmoor*, 1909)

A chap 'at thinks he can do baaght th' world is a fooil, but he's a bigger fooil 'at fancies th' world cannot do withaat him. (*Clock*, 1893)

Them chaps 'at booast 'at they'll allus spaik ther mind, wodn't have mich to say if they'd spaik nowt else. (*Clock*, 1893)

When a chap admits he wor wrang yesterday, he proves 'at he's wiser today. (*Clock*, 1893)

What a blessin it ud be, if a chap at can tawk like a book could be as easily shut up. (*Clock*, 1895)

A chap wi' a contribution box can scatter a craad i' less time nor a chap wi' th' small pox. (*Clock*, 1896)

Just as sooin as a chap loves peace better nor he loves trewth, ther's an end to his usefulness. (*Clock*, 1896)

If yo want to pleas a chap, lissen patiently to his tales ov his troubles, if yo want to weary him tell him some ov yor own. (*Clock*, 1895)

Th' best cure for a singer's bad cold is to ax somdy else to sing. (*Clock*, 1896)

A chap 'at booasts at he knows a thing or two, generally does – an that's abaat all. (*Clock*, 1896)

Aw've known fowk soa stuck up aboon ther naybors, 'at if they'd known one on 'em had been gooin' to dee, they'd ha' deed furst rayther nor follow them. (*Clock*, 1881)

Quill pens are like sum fooaks manners – they ofan want mending. (*Pogmoor*, 1909)

If yo want ta guvern uthers yo mun furst larn ta guvern yersens. (*Pogmoor*, 1909)

Theaz nobbut a reight way an a wrong un. Sum foaks ar soa daft at they doon't seem ta hit awther on em. (*Pogmoor*, 1900)

Ah've nooaticed when a chap's argyin' an' th' other chap can't see his point he generally blames th' other chap. (*Clock*, 1931)

It's reight for a pashanate man ta call hiz wurds back if he can nobbat get em ta hear him. (*Pogmoor*, 1853)

When a chap's gooin' to hell he doesn't need onnybody auther to help him or shew him th' rooad. All he hes to do is just let hissen gooa, an' he'll land theear sewer enough. (*Clock*, 1929)

Theaze menny a man gets his knuckles rapt, at feels smart in hiz pride, an not in hiz fingers. (*Pogmoor*, 1850)

Theaze menny a man puts hiz fooit inta hoat watter, when, be just houdin hiz tungue, ad a prevented it. (*Pogmoor*, 1850)

A man 'at maks hissen agreeable to yo' for th' sake o' what he can get aght on yo' is like a chap 'at feeds his pig wi' milk an' mail for th' sake o' th' bacon – th' pig nivver thanks one an' yo've noa need to thank tother. (*Clock*, 1880)

Care for ivvery boddy; cos yo caant tell woa yo may be behoudan too befoar yo dee. (*Pogmoor*, 1844)

A empty head, an a long tongue, duz oft more harm then soard or gun. (*Pogmoor*, 1844)

That man 'at works hard all day, an gooas hooam hungry at neet, an finds his wife aght gossipin, an noa drinkin ready, an doesn't loise his temper, will pleas send me his address. Aw want to see him. (*Clock*, 1890)

A smilein face izant allas a true index to a eazy mind. (*Pogmoor*, 1844)

Ta hear't saand ov a good dead, a man mun lizan attentivly; but if it's a bad un, it thunars in hiz ears az laad az a cannon. (*Pogmoor*, 1849)

If yo do a friend a gooid turn, nivver think on it, but if a friend does yo a gooid turn, nivver forget it. (*Clock*, 1890)

All's not gold 'at glitters, an ther's monny a cleean gaan ovver a mucky shift. (*Clock*, 1892)

It's a wearisome thing to listen to good advice, but it's a pleasure to give it. (*Clock*, 1877)

When a chap lets his heart grow case-hardened, noa gooid can come aght on it, an' what's war – nooan can get in. (*Clock*, 1880)

A weel-informed mind an' a gooid suit o' clooas help a chap on his way throo th' world: if yo can't get booath, get th' clooas. (*Clock*, 1877)

When a chap wants to put yo up to a thing or two, mind at it ant one to yo an two to him. (*Clock*, 1867)

When yo' do a chap a gooid turn yo've a reight to expect him payin' yo back if he gets a chonce. But if yo' reeason th' same way yo've a reight to expect him payin' yo' back if yo' do him a mucky trick. (*Clock*, 1929)

A chap nivver shaws his temper till he loises it. (*Clock*, 1935)

Yo may do monny a gooid thing in a wrang way, but yo connot do a wrang thing in a gooid way. (*Clock*, 1935)

Aw've nooaticed 'at that chap is oftest wrang who is allus sewer he's reight. (*Clock*, 1935)

Sensible fowk allus agree wi' us. (*Clock*, 1924)

Man seldom trys hard ta keep aht o' t' limeleet. He likes ta think he does. (*Clock*, 1924)

If we all wod try to be better ner we look, asteead o' lukkin better nor we are, life's trubbles wod be less. (*Clock*, 1913)

When a chap's clivver he needn't tell fowk abaat it; they'd rayther find it aght for thersen. (*Clock*, 1913)

Foaks say "a white lie iz nowt," but ah say whether it's white or black or nobbut hawf a lie it's moor costly e t' end than honest trewth. (*Pogmoor*, 1897)

It's said at a gooid action is nivver thrawn away, an that's happen t' reason at there's sa few ta be fun. (*Pudsey*, 1867)

Mock modesty is like mock turtle – both cums aht o' cauf heeds. (*Pudsey*, 1867)

Fowk at say at wun man's as gud as anuther, generally think thersens a bit better ner onny boddy else. (*Weyver's Awn*, 1896)

Aw nivver knew the devil visit a chap unless he had an invitation, nor tarry if he wornt made welcome. (*Clock*, 1897)

T' man at waited fer ivverybody ta cum an help him iz waiting yit. (*Pogmoor*, 1898)

If yo correkt foaks when yor in a passhun, it's like sarving hasty-pudding boiling hot – foaks cannot tak it. (*Pogmoor*, 1899)

If yo start at th' bottom o' th' step, yo have th' chonce o' getting up; but if yo jump to th' top at wunce, yo've to be summat extra, aw can tell yo, if yo havn't to come daan as sharp as yo went up. (*Beacon*, 1873)

Fellahs wot hev noa tungs ar ofans all ees and ears. (*Pogmoor*, 1896)

T' chap at's awlass tellin what a gooid feyter he is varry seldom cums to t' scratch. (*Weyver's Awn*, 1895)

A yung fella being telld at if he wanted ta mack a man on hizsen, he sud wauk i soa-an-soa's steps, sed at he'd tried, but cuddant, he tade ta long strides for him. (*Pogmoor*, 1875)

Aw allus try to steer clear ov a chap 'at likes to fratch; net soa mich to pleeas misen as to nettle him. (*Clock*, 1885)

Foaks offance call days hard, when at same time it's them at's soft. (*Pogmoor*, 1875)

A man at jowls hiz head agean uther foaks's business, owt ta do it when they've been buyin spike bails. (*Pogmoor*, 1865)

Aw've noa patience wil them at sit at top o' th' hill complainin' o' thirst, an' waitin' wol th' watter runs up to 'em. (*Clock*, 1882)

Ther's some fowks 'at would rayther see a man goa to hell nor goa to Heaven onny other rooad but theirs. (*Clock*, 1920)

We may double wer neyves, clench wer teeth, stamp o' t' floor, an shut wer e' es tight shut, bud we cannot blot aht a single past action, er recall a past word! When we feel inclined to dew owt meean er say owt nasty, we sud remember this! (*Stubbs*, 1909)

Nivver promise what yo dooan't meean to perform; nivver threaten what yo dooan't meean to inflict. (*Stubbs*, 1909)

Which on us is ther 'at hesn't done a minute's sin, an spent hahrs at after tryin to reeason it aht at it worrent a sin? (*Stubbs*, 1909)

Call a lie a fib, if yo like, but a fib's a lie, all t' same! (*Stubbs*, 1909)

Hawf o' t' misery i' t' world is caused bi tryin to lewk summat better ner we are, atsteead o' tryin to be summat better ner we lewk. (*Stubbs*, 1909)

A compliment throo some is worth a dozen compliments throo some others. (*Stubbs*, 1909)

If yo meet a shumacker, he looks daahn at yer feet. If yo meet a hatter, he looks up at yer head. An if yo meet a tailor, he eyes yo all ovver. (*Pogmoor*, 1874)

Hah is it 'at plenty o' cheek's oftens more sarviceable nur t' saame quantity o' talent? (*Toddles*, 1865)

Ah dooant knaw owt 'at's mooar amusin' nor to lissen to two silly chaps argyin' th' point which is th' silliest, unless it's to see two fellers feightin' 'at's freetened of one another. (*Clock*, 1921)

FOOLISHNESS

When fooils talk, wise men keep thare mahths shut. (*Weyver's Awn*, 1896)

On t' furst ov April fowk generally remind us ov what we are ivviry uther day i t' year. (*Weyver's Awn*, 1896)

An April fooil is a man at wastes his time in tryin ta mak other fowk inta fooils. (*Weyver's Awn*, 1896)

Experience is oft a skooil where men learn what big fooils thay've been. (*Weyver's Awn*, 1882)

It's a gooid job after all at thare's plenty o' fooils i' t' wurld. If thare worrn't thare's lots o' fowk at are nah dewin weel, at wodn't be able ta mak a livvin. (*Weyver's Awn*, 1900)

Doant laff at a baldheeaded man. It isn't brains at maks fowks hair grow. If it wor thay'd be mooar bald heeads ner thare is. (*Weyver's Awn*, 1900)

A knave cheeats uthers – a fooil cheeats hizsen. (*Pogmoor*, 1898)

A fooil ats getten up it wurld is like a man at top ov a moniment – ivverything lukes little ta him, an he lukes abaht as small ta onnybody else. (*Pudsey*, 1867)

Oud fooils are a deal war ner young fooils, they've hed mich longer practice. (*Pudsey*, 1867)

Ther's fooils at all ages except at awr age. (*Clock*, 1885)

A chap withaght gumpshun is like a ship baaht rudder. He may drift abaat a long while, but he's sewer to meet wi' disaster at th' finish. (*Clock*, 1885)

Aw think th' biggest fooil is that chap 'at simpers an' smiles all day when he's away throo hooam, an' grummels an' growls all th' time he is thear. (*Clock*, 1885)

A man's noa reight to think he'll get to Lundun if he keeps walkin' towards York, coss he weeant. (*Clock*, 1918)

If awd nobbut done different once,
Hah different nah aw should be,
Like a fooil aw neglected mi chonce,
An ther's hundreds an thaasands like me. (*Clock*, 1891)

Misfortuns mak t' wisest man sad, but a fooil beers hizsen up under 'em. (*Toddles*, 1867)

Keighley market traders enjoy a basket-stacking competition.

April fooils:
– Chaps at goa tut alehouse ta oft;
– Huzbands at swell abaht wi white waistcoits an brass guards, when thare wives hezzant a frock ta goa aht in;
– Wimmin at cal an camp wal t' fire goas aht, an send thare huzbands tut publick;
– Everyboddy at tries ta run everyboddy but thersens dahn. (*Pogmoor*, 1876)

It were gawmless Ned 'at found sixpence an' spent a shillin' to celebrate his luck. (*Yorkshireman*, 1887)

Gawmless Ned agean: "It's all profit," he said, when he grew onions an' lettuce in his back garden, an' missed three days' wark ta hawk eighteen-pennorth. (*Yorkshireman*, 1887)

A deal o' fowk is April fooils an doesn't knoa it. (*Clock*, 1888)

April fooils:
– A missis wot keeps hur sarvant after shooze been saucy.
– A owd maid wot looks for a volantine, becos shooze shackt hands we a yung gentleman at a pairty.
– A yung buck wot macks hiz horse prance an caper it frunt ov a hause where he naws theaze sum yung ladiz liv.
– A tradesman wot allas carries hiz benkin book in hiz hand tut benk, when hiz pockit ad houd ten sich like.
– A man wot believes nowt but wot he sees we hiz awn ees. (*Pogmoor*, 1853)

Theaz noa bigger fooil onnywheer than a natural fooil ov that variaty at intermeddles wi' uther foaks' happiness. Happiness is sich a scairce commodaty at nobbut a fooil ivver thinks ov meddling ta spoil it. (*Pogmoor*, 1900)

HAPPINESS

What a lot o' fowk ther are 'at's seekin' after happiness an' expect to find a crop on it, when at th' same time they've nivver sown a grain o' seed to raise ony. (*Clock*, 1880)

Happiness ta sum foaks duzn't consist e wot the'v gotten thersen, but mooastly e wot sumb'dy else hez gotten. (*Pogmoor*, 1909)

Just az a bucket a watter is made up a little drops, sooa iz t' sum a human happiness made up be little acts ov kindness. (*Pogmoor*, 1909)

Humilaty iz happiness they say, an it's true enuff at yol find moor flowers e t' valleys than on t' hills. (*Pogmoor*, 1905)

Why iz a kitlin's tail like happiness? – Becos it can hardly ivver catch it, an when it duz it cannot houd it long. (*Pogmoor*, 1909)

See at yo keep straight on e t' path ov duty, it runs cloise ta t' rooad ta happiness. (*Pogmoor*, 1910)

A chap 'at wants happiness just for hissen nivver gets it. Th' best way to keep it is to give it to someb'dy else. Happiness is like sunshine; yo can't fetch it. It comes! (*Clock*, 1923)

Yo'll nivver win happiness bi chasin it; goa quietly on, dooin yor duty, an shoo'll ovvertak yo. (*Clock*, 1913)

LUCK

Th' luckiest fowk i th' world are them at place noa faith i' luck. (*Clock*, 1915)

Monny a man scores becos he's a gooid guesser. He guesses reight, an' then fowk says he's clever. (*Clock*, 1924)

Labour wins while luck's waitin'. (*Clock*, 1877)

If a man's lucky he taks all th' credit to hissen, if he fails it's th' will of providence. (*Clock*, 1878)

If yo've been lucky yo needn't tell fowk for they'll sooin get to know, an' if yo've been unlucky yo needn't tell 'em for they dooan't want to know. (*Clock*, 1879)

He proves th' luckiest man 'at nivver trusts to luck. (*Clock*, 1880)

When a chap trusts to luck, if he waits long enuff he'll find it. But ther's two sooarts o' luck. (*Clock*, 1915)

It's a common thing for a chap to mistak his gooid luck for ability, an just as common for his naybors to do th' contrary. (*Clock*, 1904)

MORALITY

Discussin in yer mind whether to dew what yo naw's reng, er whether nut to dew it, is one o' t' neearest roads to t' Pit! (*Stubbs*, 1909)

Yo may mend a brokken repytashun, but yor naybors al nivver tak ther ees of a t' crack. (*Pogmoor*, 1901)

A chap 'at hesitates to do a thing for fear ov what other fowk may think, isn't likely to do owt 'at amaants ta owt. (*Clock*, 1904)

A chap 'at's nivver had to battle wi temptation, doesn't know what a scamp he is i' th' bottom. (*Clock*, 1906)

Don't ax yerself twice whether a thing's sinful. T' first answer's gen'rally t' reyt 'un. (*Stubbs*, 1909)

A chap's conscience prevents him dewin many things 'at he'd like to dew. But th' fear ov bein faand aght prevents him a deal oftener. (*Chimney Nook*, 1909)

What a deal moor happiness ther'd be i' this world if fowk wod try to enjoy what they have asteead ov hankerin after things they've noa reight to expect. (*Clock*, 1906)

Altho' sum fowk brag 'at they nivver blow ther awn trumpet, the're often willin eniff ta pay sumbody ta blaw it for 'em. (*Chimney Nook*, 1911)

It's a fooilish thing lendin a chap a new umbrella, when he's nivver browt t' owd un back. (*Leeds Loiners*, 1875)

It's a mistack ta think at yo'll get paid e full when yo lend yer money aght e installments. (*Leeds Loiners*, 1876)

It's a mistack ta think at noaboddy al tak advantage ov yer gud natur iv yo giv em a chance. (*Leeds Loiners*, 1876)

DREAMS

Ta dreeam at yo've noa hair on yer heead maay prove trew iv yo happen ta hev noan on afoar yo goa ta sleep. (*Leeds Loiners*, 1876)

Ta dreeam at yor laid daan e bed iz suar ta cum trew iv yo hevn't tummeled aght afoar yo wakkened et mornin. (*Leeds Loiners*, 1876)

Sum foaks dream et daaytime an sum et neet. But I like fowk at dream et neet best, cos they maay be sensible wen they wakken, but them at dream et daay time seldom ivver wakken at all; an iv they du ther off ta sleep agean afoar thay can giv yo an inklin ov what thay've been dreamin abaght. (*Toddles*, 1872)

WEATHER

If a bagpiper plays at yer door, an yer dog hears it, lizzan for howlin winds. (*Pogmoor*, 1863)

When a chap finds his wife has getten a summons for a lot o' stuff shoo's bowt unknawn to him, it's likely to be thunner an' leetnin'. (*Clock*, 1870)

If a man goaze hoame breezy, an hiz wife begins a potterin t' fire when it duzzant want it, an then bengs t' poaker dahn, look for cross winds. (*Pogmoor*, 1863)

Longest days – That i which yor at a watterin plaice, an it rains, withaht a minnit a bait, throo gettin up ta goin ta bed, an noabdy but a lot a praad disagreeable straingers at t' same lodgings wi yo. (*Pogmoor*, 1865)

Miserable Weather – When ye cum home fra yer wark at neet tired an hungry, an finnd t' wife ower t' heead e t' weshin tub, t' fire nearly aht, t' barns yellin fer ther drinkin, an t' lass up to t' top-rib nearly.

Unsettled Weather – When sumb'dy cums runnin to tell ye at yer Uncle Solomon at's varry weel off an hez no barns, is tain varry ill an likely to dee, an ye don't knaw whether he's made a will or nut, for if he hezznt ye'll get nowt.

Squally Weather – When ye go tul a hahse where a cross barn is cuttin its teeth, an yo cum away an finnd at t' pig's getten its heead fast under a gate.

Sunshiny Weather – Weddin days. When t' first barn is born. When ye get a fortun left. When ye get yer wage risen. When yer successful e yer bizness, an when ye feel as if ye cud like to giv ivveryboddy a helpin hand at needs wun. (*Weyver's Awn*, 1878)

If yor sleepin under a skye-leet, 'at cats macks a neetly pracktis a runnin ovver, expeckt a dahnfall. (*Pogmoor*, 1863)

If sunshine wor ta pay for, sum fowks at grummal a deal abaht t' weather, ad hev less on't ner tha hev nah. (*Pogmoor*, 1881)

Wot a useful thing t' weather iz. If it worrent for hevvin t' weather ta abuse, ah expeckt thead be a deeal moor fault finding wi uther fooaks than ther iz. (*Pogmoor*, 1904)

T' height a impidence – Takin shelter in a ume'rella shop during a shower a rain. (*Pogmoor*, 1909)

Sharp weather – Wen t' sleet cuts yor skin an t' wind's keen eniff ta shave yo. (*Leeds Loiners*, 1878)

"Ivry clahd hez a silver lining," it's said, but sumhah monny foaks cannot get at it. (*Pogmoor*, 1909)

CRIME AND PUNISHMENT

Twenty crimes committed by a confirmed rogue doesn't lewk so bad as one guilty action done by a man o' reputed goodness. (*Saunterer*, 1880)

Why is a gurt murderer like a picture? – 'Cos he's best hung. (*Clock*, 1874)

A chap wi a metal watch is nivver feeared ov pickpockets. (*Clock*, 1901)

Ah allus think doctors an' lawyers are queear chaps, becoss doctors offen give what they wouldn't tak' an' lawyers offen tak' what they wouldn't give. (*Clock*, 1931)

Why is a barrister like a publican? 'Cos he gets his livin' at t' bar. (*Yorkshireman*, 1894)

A common object et streets ov Leeds – A policeman wen he izzn't wanted. (*Leeds Loiners*, 1878)

"It's a sad thing at ther's soa mich crime o' one sooart an another i' this country," say some, but do they ivver think 'at if yo'd to do away wi' crime they'd be twice as monny unemployed as ther is. What wod yo do wi all th' policemen, solgers, lawyers an judges? Crime finds a lot o' fowk wi wark. (*Clock*, 1912)

Which kind a sewt iz t' mooast expensive? – A law-sewt. (*Pogmoor*, 1897)

Honesty is t' best policy, noa daht, fer it gets least ewsed; but rogury seems to be t' policy at pays t' best. (*Weyver's Awn*, 1895)

Handloom weaver Timothy Feather, who lived to a ripe old age of eighty-five.

AGE

Age creeps on to men gradewally an' steadily, an' a chap doesnt feel nettled if somdy tells him 'at he's gettin older; but wi' women it's all fits an' starts, they're young one day an' old th' next, or visy varsy, e just as it suits 'em. (*Clock*, 1884)

A chap must ha lived a queear life if, when he grows owd, he can't be used nawther for an example nor a warnin'. (*Clock*, 1920)

When a chap's ashamed becoss he's growin' old aw allus wonder ha he spent his youth. (*Clock*, 1935)

Bi th' time we get too old to do owt, we just begin ta see what we owt to have done. (*Clock*, 1878)

A chap 'at puts off life's pleasures till he retires throo wark hed better mak' sewer he's gooin' to heaven. For he weean't get mich happiness i' this world. (*Clock*, 1927)

If young fowk wod remember they'll grow old, an old fowk remember they wer once young, they'd get on better together. (*Clock*, 1913)

Young fowk rush to gether ther harvest before they've sown the seed. Old fowk oft begin to sow ther seed when ther harvest should be ripe. (*Clock*, 1891)

It's nobbut when fowk get owd 'at they can see what fooils they wor when they wor young. (*Chimney Nook*, 1910)

Oud fooils are a deal war ner young fooils, they've hed mich longer practice. (*Pudsey*, 1867)

A happy old age is in stoar for ivvery body if they live long enough, an keep i' th' narrow rooad 'at leeads to it. (*Clock*, 1889)

I've noaticed at altho grey-heeaded an bald-heeaded men are respected mooar ner t' generallity, yet thare's varry few fowk at crave after em. (*Pudsey*, 1897)

Fer a wrinkle remover ther's nowt ta beat a smilin face an a cheerful disposition. (*Chimney Nook*, 1911)

It's a sad thowt, 'at a deeal ov old age pensions will goa to support young publicans, an they will. (*Clock*, 1910)

It isn't wise fer a chap to upbraid his wife for beginnin' to look owd, becoss it's ten to one he'll be baldheead befooare her. (*Clock*, 1929)

When a woman's thirty, shoo'll seldom own to moor ner twenty-five, but when shoo's sixty shoo'll booast o' bein seventy-five. (*Clock*, 1910)

When moast on us comes inta t' world fowk is varry anxious to kiss us, bud when we goa aht o' t' world a lot wod like ta pawse us. (*Clock*, 1925)

It's a wise thing to encourage young fowk to be young, for they'll have time enuff to grow old if they're spared. (*Clock*, 1908)

DEATH

Onnybody can affooard to praise a chap when he's deead, but ha' few can hear a living man praised withaat envy. (*Clock*, 1880)

They say when a chap dees he pays all his debts. Well if that's true, deeath would be a blessin' to some chaps. (*Clock*, 1928)

Ther's noa job fowk dread as mich as deein', an' yet all manage it. (*Clock*, 1877)

If you want to mak a noise i' th' world after yor deead, yo'll have to start wol your livin'. (*Clock*, 1878)

Noa man's ivver independent until he's in his coffin. (*Clock*, 1878)

Anuther proof 'at life is a conundrum is that ivverybody givs it up. (*Weyver's Awn*, 1900)

Mooast men think as little abaat deeath as if they wor livin in eternity, an yet labour so hard after this world's follies as if they hadn't another day to live. (*Clock*, 1880)

If ivvery man wor fooarced to pay his awn funeral expenses, ther'd be monny a thaasand livin' to-day 'at couldn't affooard to dee. (*Clock*, 1926)

A woman's pleeased wi' a chap twice – When shoo weds him – an' when shoo draws t' insurance. (*Clock*, 1937)

When a chap's deead he owes nowt, but that doesn't say he's paid his debts. (*Clock*, 1910)

When a chap's biddin farewell ta this world he doesn't think abaat th' gooid he's done but abaat th' gooid he mud ha done an didn't. (*Clock*, 1908)

Nivver judge of a man's worth bi th' length ov his funeral processhun; deein may ha' been th' best thing he ivver did. (*Clock*, 1889)

Nivver bother yor heead abaat ha mich yo'll be able to leeav when yo dee, for yo'll just leeav as mich as onnybody else 'at dees at th' same time – all ther is. (*Clock*, 1891)